Heibonsha Library

真理のメタファーとしての光／コペルニクス的転回と宇宙における人間の位置づけ

Licht als Metapher der Wahrheit/
Der kopernikanische Umsturz und die Weltstellung des Menschen

平凡社ライブラリー

Hans Blumenberg
Licht als Metapher der Wahrheit, 1957
Der kopernikanische Umsturz und die Weltstellung des Menschen, 1955

Heibonsha Library

真理のメタファーとしての光／コペルニクス的転回と宇宙における人間の位置づけ

Licht als Metapher der Wahrheit/
Der kopernikanische Umsturz und die Weltstellung des Menschen

ハンス・ブルーメンベルク著
村井則夫編訳

平凡社

本書は平凡社ライブラリー・オリジナルです。

目次

凡例

一、原著でのイタリック体、および括弧は、訳文では傍点、あるいは「 」で示した。ただし文脈によっては、変更ないし省略した場合がある。書名は『 』で示し、専門用語や特定の言い回しについても、訳者の判断で「 」による強調を行った。本文では、読みやすさを考慮して、原文よりも段落を増やした箇所がある。

一、本文および註の中で〔 〕（欧文の場合は［ ］）の箇所は、訳者による補足、ないし補註である。本文中の人名の生歿年データは、原則として初出時に、本文中に挿入した。

一、註番号は、原註と訳註を通し番号とした。原註では、データに不備があるものは断らずに補足・訂正し、書式も統一を図った。引用原典の既訳のデータも可能な限り併記した。既訳の訳文は変更している場合がある。

真理のメタファーとしての光

——哲学的概念形成の前景領域

筆者の現状分析が見当はずれでないとすれば、このところ哲学において概念史の研究が活況を呈している。その流れを助長し刺戟した動機はいくつか考えることができる。たとえばここ数十年、呆れるほど大量に哲学概念の新造語が作られるなか、[*1]人々はふとその無益さに気づき、難解な哲学書を敬遠しがちであるのに対して、神学では概念研究が模範(パラダイム)的な成果を上げたことなどが指摘できる。[*2]長いことなおざりにされてきた概念史の試みがあらためて取り上げられ、成功を収めるには、何よりもまずは「哲学概念」の範囲を、哲学以前のさまざまな思考様式との違いの点から再検討する必要があるだろう。哲学的表現の特性と歴史を見ればわかるように、哲学の「術語」は他の学問分野の術語に比べて包括的な意味をもっている。他の諸学の場合は、哲学の概念をそのまま借用したり、一義的な定義とともに概念装置を自前で調達したりすることができる。ところが哲学の場合、どうしても非概念的・前概念的なものに関わらねばならないため、非概念的・前概念的把握を受容しながらも、やはりそれらの分析的規定という課題に取り組むことで、それが生まれた土壌から離れて概念形成を行っていくことになる。哲学的理性（ロゴス）は哲学以前の神話（ミュトス）を「克服した」かのように理解するなら、哲学的「術語法（ターミノロギー）」（Terminologie）の全体像を見るための視界を狭めかねない。[*3] 定義や直観の裏づけによって充填された厳密な意味での概念のほかにも、神話のさまざまな変容態の茫漠たる領域や、多様な形態の隠喩法（メタフォーリク）のうちに潜在している形而上学的仮構（フィクション）の領野といったものがある。概念のこうした前景領域は、「集合態」のかたちをとるため、明示化されていない次元により柔軟かつ敏感に反応し、固定された伝統的形式に囚われることが少ない。この前景領域に現れる表現は、硬直した体系構築ではおよそ語りえないものを表出している。いっそう詳細な考察を進めるなら、さらに豊かな内実を浮かび上がらせることができるだろう。本論では、「光のメタファー」とその関連領域に限ってではあるが、哲学的「メタファー学」（Metaphorologie メタフォロロギー／隠喩学）の内容と方法を練り上げるよう努めていきたい。

表現力の豊かさと絶妙な変奏の可能性という点で、光のメタファーは群を抜いている。形而上学の歴史ではその起源より、対象的にはもはや把握しえない究極の事態を適切に示すために、光のさまざまな特性が活用されてきた。「存在」という概念ひとつをとっても、そこには「存在者」の最も普遍的で実在的な述語として抽出された最も空疎な抽象物〔「存在」の概念〕には尽きない含意があるため、それらの特徴が、光の徴表を手がかりにあれこれと描写されてきた。一と多、絶対と相対、根源と派生といった両項の対が、光をある種の「モデル」として描かれたのである。光とは、一直線に照らし出す一条の光箭、闇夜の案内となる灯(あかり)、闇を切り裂き打ち負かす煌々たる閃光である一方で、目をくらませるほどの満ち溢れる輝きであり、すべてのものを分け隔てなく現象させる無差別な明るみの場でもある。自らは現出しない現出の条件、事物にとっての近づきがたい近さといったところだろうか。光と闇は、互いに排除し合いながらも世界を構造として成立させる絶対的・形而上学的な二極対立を具象化する。いうなれば光とは、闇が〔何らかの存在ではなく〕無にひとしいことを暴く絶対的な存在の力である。ひとたび光に照らされるなら、闇はもはや存在できなくなる。光は射し貫くものであり、溢れ出る輝きのなか、すべてを包含する明瞭で果てしない視界を開き、真なるものを「顕現」させる。精神は光にあらがうことができず、いやでもそれと同化せざるをえない。[*4] 光はその本質を維持しながら、無限なるものとの関係をもつ。そのため光は自らを浪費しながらも、それ自身けっして消耗することがない。光は、空間、距離、方位を、そして平静な観照を生み出す。それは、見返りを求めない贈与であり、強要せずに従わせる照明である。

光のメタファーの雄弁な表現能力を簡単に一覧したが、もとよりこれは不完全なものであろう。しかし本論ではそれを細部まで仕上げるのが目的ではない。光という基本的メタファーのさまざまな変奏形態が、人間の世界理解と自己理解の変貌といかに呼応しているかをここでは示したい。われわれが根本的な意味で「歴史」と呼ぶものは、それを証言する手段とのあいだに矛盾を抱えている。歴史で用いられる立証手段は、現実把握の根底的変化を表現して、その細部まで明らかにするものであるにもかかわらず、その変化に十分機敏には対応できないからである。索引や専門辞典に収録されている伝統的な哲学用語には、意味の変化がきわめて緩慢にしか見られないのは、ここに理由がある。概念の変形についての整った定義は、精神史においてはいつも「遅ればせ」にやってくる。それはちょうど哲学において、たいていは土台となる基盤がまたもや揺るぎ始める頃になってようやく「体系」が仕上がるというのと同様である。そのような事情ゆえに、差し当たり未成熟で試行的・仮定的な表現方式がさまざまに現れる。なかでも光のメタファーとその関連語彙は筆頭に挙げられる。その個々の局面については、優れた個別研究(モノグラフィー)によってすでに検討がなされている。[*5] しかし、このメタファーの真の「働き」を明らかにするには、さらに包括的な分析的考察が必要だろう。

光の概念は、古くはパルメニデスの教訓詩の第二部[*6]で知られているような、あるいはアリストテレスの証言[*7]ではピュタゴラス派のものとされる二元論的な世界理解に帰属するものである。光と闇は、火と地と同じく、元素としての根源的原理である。それらが敵対し合うことで、存在は盤石のものではなく、真理は自明なものではないことに気づかせる。しかしパルメニデスがこの二元論を教訓詩の第二部に据えたことが、すでにその克服を暗示している。二元論は臆見(ドクサ)の領域の特徴である。詩の劈頭(はじめ)では、真理への道は「光」に向かっている。[*8] その詩の中心箇所でパルメニデスは、存在と非存在、真理と仮象、光と闇の二元論を根こそぎ消し去ってしまう。存在が在るのは、非存在ではないという理由によるのではない(そうだとしたら、存在が在るためには非存在が必要不可欠ということになってしまうだろう)。[*9] 光は闇との対立を本質としているわけではなく、光が本領を発揮したときには闇は廃絶され、克服される。ということは、存在・真理・光などの概念をそれらの対蹠物〔非存在・偽・闇など〕との二元論的対立から解き放って独立させたのは、なにもプラトンがはじめてというわけではないということになる。とはいえ、〔存在と非存在などの〕これらの二項分化から引き出せる帰結を光のメタファーによって明らかにしたのはやはりプラトンを嚆矢（はしり）とする。光のメタファーは、存在と真理の関係の「自然性」として表現される。すなわち存在は、（その対蹠物に頼るのではなく）おのずから「自然」であり、また（非真理の状況から存在を発見する思考があとから現れることによるのではなく）おのずから真である。真理は存在そのものに付随する光であり、光としての存在である。要は、存在とは存在者の「自己呈示」にほかならない。それゆえ最高形態の認識は、活動を欠いた静観、つまりは観照（テオーリア）から発する。だからこそ、プラトンのいう想起（アナムネーシス）では、魂の出生以前に観取された真理が、その起源が忘却されていようとも変わらず輝き出るものとされている。『国家』の洞窟の比喩ではそのため、洞窟の出入りという物語は、自然の光から人工的かつ強引に隔離された状況から始まる。[*10] この物語はけっして二元論的なものではないが、あとになってまた二元論的な構図へと引き戻されることになる。真理のドラマは、光と闇の宇宙論的な闘争ではなく、ただ人間の自己陶冶、あるいは自己開示のプロセスであり、その意味で教育(パイデイア)の問題である。[*11] 真理はただ現れるだけでなく、こちらに迫ってくるのである。

プラトンの洞窟の比喩では、善のイデアは万物を照らす存在の光の源、すなわち太陽として具象化される。その善のイデアは、認識・存在・実在の根源ではあっても、それ自身が存在者ではなく、その尊厳と力は存在者を凌駕するものとされている。[*12] この言い分はさしあたり形而上学的な意味合いをもつものではない。他のあらゆるものを可視的にして対象化する当のものは、それ自身は同様の意味で対象的であることはできない。光は、それに照らされて見えるようになった事物があってこそ見えるようになる。光は事物が見えるようになってはじめて、光としての意味を発揮するが、光それ自身は、光が照らし出すものとは次元を異にするというのが、光の「自然性〔本性〕」というものである。しかしすでにプラトンにおいて、この「差異」は「超越」の性格を帯びている。光の形而上学は、光のメタファーを基盤とするのである。真理の「自然性」という言い方はその反対のものに転じてしまい、真理は超越の「場を占める」。ギリシアの宗教は、あれほど多くの自然の神々を有しながら、光の神というものを知らなかった。[*13] それというのも、ギリシア人の感覚にとって光はあまりに包括的で、とても把握できるものではなかったからである。光とは、自然を包み込む圏域であって、構成部分ではない。「日の光とは、人々が活動する明るみであり、そのなかで世界の区分がなされ、一望され、理解しうるようになるところ、こちらとあちら、このものとあのものの区別が可能になるところ……、そしてそれとともに同時に現存在の自己理解を可能にするものである」[14]。この明るみのなかに、精神と事物はひとしく存在する。「照明」とは、外的生起に対立する内的生起ではない。存在的な開明と存在論的な開明は同一なのである。プラトンには光の神秘主義は存在しない。光はなんら、経験の独自で特殊な次元ではないからである。[15]アリストテレスはプラトンと同じ見解をより冷静に表現している。アリストテレスによれば、見えるものはいわば自ら色となり、知覚された現実と知覚する現実とはひとつであるという。[16]この点にこそ、光と闇の根本的な違いがある。闇によっては、こうした同一性は成立しようがないからである。闇は存在的にも存在論的にも無力である。この点から見れば、古代末期の新プラトン主義において、「光」と「闇」のあいだに極端な意味の差異が生じることがたやすく理解できる。新プラトン主義にあっては、光と闇は敵対し合う二大勢力となり、魂をめぐって互いに闘い、暴力を揮い、魂を自らの方に拉し去り、「ひとつになろう」とする。したがって、そのときどきに「光」がどのような意味をもつかを読み解くには、「闇」がどのように理解されているかを一緒に見なければならない。自律的で「ロマン主義的な」漆黒の闇というものがある一方、光のもとの闇、光のなかの闇というものもある。ギリシア悲劇については、「古代の悲劇は人間の実存の昏い根底を描いているが、それは何か陰気な昏さを予感させるものではない。むしろ古代の悲劇は、この昏い根底を容赦のない明るい光で露わにするものである」[*17]といわれる。そうなるとこれは、古典ギリシアの哲学についてこれまで論じてきた見方と一致することになるだろう。

太陽の比喩においてプラトンが提起した光の超越性は、ヘレニズム期の思考にとって一般的となる。媒体である宇宙(コスモス)のうちに充満していた明るみは、一点に引き戻され、凝集することで、形而上学的な極へと対象化される。光の照射は、下降するものとなり、闇へと消え去り、光の充溢は消耗に変わる。洞窟の「不自然な」隔離は宇宙全体に拡がり、宇宙が洞窟の性格を帯びて光を奪い、呑み込み、無力化する。かつて光を透過した天球は、厚みを増して洞窟の壁となる。世界の外部に移された純粋な光は、もはや浄福な静観である観照（テオーリア）の境地へと導くものではなくなってしまう。観照の境地へいたるには、この世ならぬ忘我体験（エクスタシー）への転向が必須である。その体験では、心安らぐ触れ合いと、目を背けずにはいられない閃光がひとつになる。このような圧倒的な要求に耐えうるのはごく少数の者だけである。死すべき定めの人間には、秘義の「霊光（ポーティスモス）」を慎重に配合した死すべき定めの光が与えられるにすぎない。——そのとき光は、「救済」の、そして不死性のメタファーとなる。宇宙から光が退き去ったことが、「啓示」という概念の前提となる。というのも啓示は、終末論的な出来事として光の再来を告知し、人間にそれを迎える心構えをするよう命じるものだからである。光はあくまで彼岸の世界にとどまっているのであり、そこに達するには、人間は現世的・事実的な状態よりもはるかに純粋にならねばならない。*18 もはや光のなかに立って、光の内部で見ることが人間を満足させるのではなく、光そのもののなかへ見入り、その光の内部で光以外の可視的なものを抹消するよう、人間は駆り立てられるのである。宇宙からの光の退去が、光を求める人間の衝動を惹き起こす。この考えからは、古代末期の新プラトン主義、およびグノーシス主義への道が直接に繋がっている。ここに及んで古典的な観照は確たる基盤を失ってしまう。存在はもはや存在者の自己呈示ではなく、「形なく見えないもの」となる。[19] 存在は目を開かせるのではなく、目を閉じさせる。絶対的な光と絶対的な闇が、ここではひとつに融合する。さらに進めてディオニュシオス・アレオパギテス（五世紀頃）は、あらゆる神秘思想の定型句となる「神の闇（テイオン・スコトス）」なる表現を生み出すにいたる。

世界から光が失われるプロセスというこの一連の流れもそうだが、ヘレニズム期および古代末期の他の思潮も同じ方向を歩んでいたという事実は、これまでなおさら注目されてこなかった。とりわけ、懐疑主義もまた、宇宙からの光の退去という事態に応じるひとつの回答であったことは看過されている。プラトンのアカデメイアの内部で懐疑（スケプシス）が現れたのは、学派内の「逸脱」などではなく、やはりまた、光の超越性といった存在論的な根本事相に対するある種の態度決定なのである。懐疑の出現もまた同じく、退去の身振りであり、世界を遮断し、判断中止（エポケー）において観照（テオーリア）を断念することなのだ。それを確認するには、『パイドン』においてソクラテスが、現実そのものを見据えようとした途端に目がくらむ経験をせざるをえなかったこと、そしてそこからの成り行きで、「言論（ロゴス）」へと退去し、言論によって存在者の真理を観察するようになったことを思い出すだけで十分だろう。[20] 視覚は目をくらませる直接性から自らを守ろうとするのであり、けっして太陽を直視することなく、代理を務める間接的な言論（ロゴス）で満足する。懐疑主義はこうした伝統のうちに位置づけることができる。懐疑主義は、諸学派の論争をつうじて言論（ロゴス）をもまた見限ったあげく、その次の一歩を踏み出したにすぎない。懐疑主義ははじめ、光と闇の経験に巻き込まれていない。まずは、幸福（エウダイモニア）と観想（テオーリア）が合致するという古典古代の考えが解体されねばならなかった。〔古典古代では〕幸福に満たされて生きることは人間の本質的可能性として前提されていたが、懐疑主義においては、この本質がそもそも空疎なものとなる。世界との繋がりが弱まってしまうなら、残るのはただ空虚な差異のみである。判断中止（エポケー）のなかで何ものかが残るということ、そしてその残りうるものは何であるかということは、懐疑主義にとっては問うに足らないことであった。懐疑主義はエピクロス主義と同じく、幸福は、不幸や混乱や苦痛を取り除くことによって獲得されるということを当然の前提としている。懐疑主義者とは、裏返しの神秘主義者である。懐疑主義者もまた目を閉ざすが、ただそれは〔神秘主義者のように〕絶対的な光の溢れんばかりの眩（まばゆ）い光に対してではなく、謎めいて混乱を引き起こす「事物の混迷（オプスクリタス・レールム）」の重圧に対してなのである。しかし外的な闇を遮断したからといって、それによって内的な光が獲得できるわけではない。それを承けて、道徳的絶対主義を打ち立てたのがストア派である。ストア派は一貫して幸福概念の積極的な規定を追い求め、それを倫理的事象の内的な自明性に結びつける。

このようにヘレニズム期のさまざまな学派の方向性は、共通の存在論的内実を基盤としながら、複雑に絡み合っていた。この点はキケロ（前一〇六―四三年）を見ると判然とする。キケロはこの伝統に合わせて、「自然の光（ルーメン・ナトゥラーレ）」なる造語を作り出した。[*21] そして光のメタファーを内的な道徳的自明性と結び合わせたのである。キケロにとって光はもはや、すべての存在者がひとしく照らし出される普遍的な明るみではない。むしろ光には、一種の人間中心的な配分（エコノミー）が施される。人間の生は、それぞれの必要に応じた分の光によって照らされると考えられる。理論的な領域では、「真理らしさ〔蓋然性〕」という程度の光の輝きだけで十分というわけである。真理の「自然性」はここでは「真理らしさ」のかたちをとる。アカデメイア派の懐疑で実践された多様な主張同士の方法的な議論によって、真理らしいものが「照らし出される」[*22]。これ以上を望むのは「傲慢（アロガンティア）」であり、真理の目的論的な配分を軽視するものである。「配分」に応じて人間に与えられた光の外部では、闇が支配している。「知恵（サピエンティア）」の規範に反する「欠陥（ウィティア）」として、キケロは軽率な同意のみならず、「混沌たる事物（レース・オブスクラエ）」や「不必要な事物（ノン・ネケサリアエ）」に関心を向けることを挙げている。[23] 古典古代哲学の存在論的前提にあっては、こうした区分けの仕方は考えられないことである。アリストテレスの形而上学の冒頭で明言された自然本性的な知への欲求〔「人間は生まれながらに知ることを欲す」〕は、まさしく普遍的な理論的光域と可視帯の次元で働くものであり、観照（テオーリア）とは絶対的な神的行為の模倣であった。これに対してキケロは認識というものを、人間のもつ特殊性と必要性の限界内で見ている。理論的な活動は道徳的前提の枠内に収められている。中世ではこの流れを承けて、「好奇心（クリオシタス）」が理論的高慢（ヒュブリス）の主題のもとで捉えられていく。[24]

キケロの場合、理論的領域での光と闇は、実践的原理にもとづいて区別されている。人間はまず、存在者に対して「知る（スキーレ）」ことよりも「使用する（ウティ）〔役立てる〕」ことをあからさまに要求する。[25] 光がどれほどの強さをもつか、それを決める中心は人間の行為の原則に求められなければならない。そうした「有用な事物（レース・ネケサリアエ）」にこそ、十分な光、有無をいわせぬ自明性が保障される。自ら輝き他のものすべてに光を付与するプラトンの「善（アガトン）」は、超越のうちに身を引くのではなく、道徳的意識という親密な内在領域へと内面化されるが、それはまた同時に、理論的には隠されるということでもある。キケロは、ある行為が正義か不正かが疑わしい場合にはその行為を控えるというストア派の原則を受け入れている。[*26] しかしこうした前提を是認するなら、キケロ自身が受け継いだプラトンの「光の遺産」と暗黙のうちに矛盾することになってしまう。それというのも、これに続けて「公正(アエクイタス)はそれ自体で光り輝くのに対して、懐疑は不正が潜んでいるのを示す」と述べていることが正しいのなら、そもそも正義と不正についての疑いといったものは存在しうるだろうか。善がおのずと光を発するなら、懐疑はそれだけで不正が潜んでいる証(あかし)なのである。善は疑いの余地を認めないほどにまで、純乎たる光のうちにある。[*27] 純粋な光が内面化されるのに応じて、暗黒化のほうは「情念」という内的な諸形式をとる。[*28] 他方で、内面化した光はふたたび外に現れ出ようとする。キケロは「栄光(グロリア)」というものを、「共同体(コムニタス)」によって受け容れられ是とされた「徳(ウィルトゥス)」の「光輝」とみなしている。徳は光り輝き、人間の共同体の尊敬を集める。[*29] 道徳的な特質は美的特質と繋がっており、最高段階にいたれば美的特質へと昇格することができるのである。――ここには、ほかならぬプラトンの遺産が生きている!

【補論】洞窟

闇は光にとって二元論的な敵対勢力であり、克服されるべき無、人間の知識の可能性に配分された光の自然的な背景領域とみなされ、純粋で絶対的な光が目をくらませるものへ反転することと考えられた。これまでのところ、これらはすべて光の隠喩法(メタフォーリク)の関連表現として扱ってきた。このような解釈の範囲内では、洞窟のメタファーはひとつの特殊事例という位置を占める。闇が明るみの「自然的な」対立物であったのとは違い、洞窟は単純に光の対立世界というわけではない。洞窟世界は人工的な場所であり、自然の光・自然の闇の領域とは別に無理矢理作られた地下世界であり、隔離と忘却、存在の代替物と派生物の境域である。いまここで洞窟の隠喩法を論じるのには意味がある。それというのもキケロこそ、アリストテレスの初期対話篇に見られる洞窟の比喩に言及し、「洞窟」のメタファーのいま述べた特徴について、『神々の本性について』で〕きわめて印象的な事例を示しているからである。[*30]〔この対話篇の対話者で〕ストア派を代表するバルブスがこの箇所でいわんとするように、世界の「驚嘆すべきもの」(アドミラビリタス)であっても慣れてしまえば色褪せるが、ずっと地下に棲んでいた人間は、洞窟を出て宇宙(コスモス)を目にするやいわば目を覚まして、神々の実在と働きを信じるようになるだろう。つまりキケロの場合に、洞窟という状況は、「慣れ」という要因からいかに目覚めるかを仮説的に立証する単なる思考実験となっている。この点にこそ、プラトンの『国家』第七巻の洞窟の比喩との最も重要な相違がある。〔キケロでは〕正常な状態(「いま私たちが住んでいる地上」)では、洞窟の外部にあって、宇宙を眺めたところで、いつもながらのごく普通の経験にしかならない。対してプラトンでは、洞窟の外部は賢者がとどまる非日常の空間であり、洞窟内部の情景のほうが、かえってわれわれの「正常な」状態を物語っている。洞窟に棲まう人間は、グラウコンのいう「奇妙な囚人」(アトポイ)ではなく、ソクラテスが正しく言い直しているように「われわれに似た者」(ホモイオイ・ヘーミン)なのである。プラトンにおいてすでに、洞窟での対象世界の人為性は示されている。洞窟の壁に映じる影を生み出すのは、人工的な器具であり、技巧的な映像作品、あらゆる種類の手技の産物なのである。

にもかかわらず、プラトンの洞窟世界はキケロのものに比べて貧しいといわざるをえない。キケロの洞窟では、不平・不満の感情など、わずかたりとも起こらないように、地下世界の住居が絢爛豪華であることが重視されている。その場所は、「幸福とみなされる人たちが具えるような」あらゆるものを「ことごとく具えている」のである。キケロの洞窟世界は「都会的な」煌びやかさに溢れており、その贅沢の魅力に蠱惑されている幻覚的な文化世界である。これに対して、プラトンの洞窟では人間は囚われの身にあり、この強制的状況がまぎれもない事実としていやでも前提されている。しかしだからこそ、この状態の原因を問う疑問が生じるのであり、新プラトン主義はその点にはじめて力点を置くことになる。キケロの狙いは、洞窟世界を地上の世界と「肩を並べる」ことができるように演出することである。なぜなら洞窟の領域から地上へ出るのはまったくの偶然によるものと考えられており、ただ地上に出たときの驚愕の効果が得られるように計算されていたからである。これとは違ってプラトンの場合は、縛めからの解放、洞窟の外に目を向ける苦痛に満ちた体験、そして迷いから覚めていく段階的な上昇は、「教育（パイディア）」の決定的なイメージとなっている。この経験を経ることで、洞窟の世界は、存在と真理を欠いた領域と自覚されるにいたる。キケロの場合、現実の宇宙の描写は絢爛たるものであるにもかかわらず、人工的な光の世界もなんら恐れるに足らず、暗闇の効用（エコノミー）にも熟達している。そうなるとキケロは、自然界はあまねく「混沌たる事物（レース・オプスクラ）」であり、確実性はただ内的な光にのみ求められるといった洞窟のイメージに何か親近感があったのではないかとさえ思えてくる。

洞窟のメタファーがキケロにあって説得力をもったのは、（あえて言えば）洞窟が「実存的厳粛さ」を失ったためである。洞窟のメタファーは仮説となり、思考の一興となった。条件としての「混沌たる事物」、およびそれに対応する「自然の光（ルーメン・ナトゥラエ）」の内面化によって、洞窟のイメージはその前提から力を喪（な）くしたというわけである。[*31] それ以降、「洞窟」の解釈の徹底的な変更が可能になった。そのむかし、前ソクラテス期にも宇宙（コスモス）全体が洞窟とみなされたことがあったが、[*32] 新プラトン主義になってはじめて洞窟と宇宙の同一視が本格化し、何ごとかが開始する。新プラトン主義では、プロティノス（二〇五頃―七〇年）の高弟ポルピュリオス（二三四―三〇五年頃）の著作『ニュンフの洞窟』のように、花盛りだったホメロス解釈にかこつけて、オデュッセウスが暮らしたニュンフ〔カリュプソ〕の洞窟[33]が宇宙論的に解釈されている。宇宙と洞窟は一方が他方の象徴(シュンボロン)となる。洞窟を出て超越に向かおうとする人間が誘惑と妖艶な魅力に屈するさまが、その洞窟と宇宙を繋ぐ「第三項」〔共通項〕となる。宇宙と同一視された洞窟は、東方教会の象徴論において、キリストの受肉に対する格好の状況設定となる。キリストは厩ではなく、洞窟で産まれたというのである。ミトラ教の洞窟密儀は、このような象徴的な場所を奪い悪魔的なものにしたと、ユスティノス(一〇〇頃—六五年頃)は主張する。[34]「洞窟のなかの光」という定型主題(トポス)はこのような配置転換によってのみ可能になった。[35]教育(パイディア)の道はもはや洞窟からの脱出を意味しない。いまや眼差しは闇の奥に向けられる。洞窟のなかでは、闇のなかに光が現れるという信じがたいことが信じられるようになったからである。プラトンにおける洞窟内部の〔人工的な〕光と、善を表す太陽との差異は廃絶されてしまう。洞窟のなかの光と、光の根源は本質を同じくする。洞窟のなかの光は、光の全権を担い保証するのであり、もはや影を生み出す欺瞞(まやかし)の原因ではない。洞窟の内部は積極的な意味へと転換する。

中世になると、個人用の洞窟である小部屋や修道院の修房が、真理の顕現する場所となる。いまやすべてのことは「内面から」見出されうるということが示唆される。「あなたの精神の小部屋に閉じこもり、神以外……の一切を遠ざけなさい」[*36]——これは洞窟と私室が作り出す新たな生の様式であり、そこに籠れば「恩寵」への信仰がもたらす光を待ち望むことができる生き方である。しかしモンテーニュ（一五三三—九二年）の「洞窟（タニエール）」の理解に見られるように、このイメージはまもなく、「自己把握の内的空間」のメタファーへと移行する。[*37] ここにはある新しい要素が現れているが、「洞窟」はその逆のメタファーとしても用いられていく。フランシス・ベーコン（一五六一—一六二六年）は、個人が自分の主観的世界に束縛されていることを「洞窟のイドラ（イドラ・スペクス）」と呼んでいる。[*38] 資質・教育・経験が、各人に自分だけの洞窟を作り出すが、その洞窟を打ち破り無力化するのは「自然の光」である。ここでいう「洞窟」とは、主観の事実性であり、主観がいつでもそこにとどまる固有の世界を指す。ベーコンが名指しで引き合いに出しているヘラクレイトスの「自分だけの考え（イディア・プロネーシス）」[*39] から、「自らの小さな世界」という語を作り出しているのは興味深い。そして洞窟からの脱出は、一人ひとりの賢者が溢れる光のもとに向かう教育の道ではなく、誰もが「より広い共同的な世界」の同意を得るための「技術」、すなわち「方法」となる。洞窟からの脱出は歴史哲学的なメタファーへと転じ、人類の「新たな時期(エポック)」を画する徴(しるし)となる。

デカルトもこのような意味で洞窟のメタファーを用いている。[*40] スコラ学者たちが新しい学問に歯向かおうとするのは、デカルトによれば、さながら盲人が目の見える相手と互角に戦うために、相手を「とても暗い地下室〔洞窟〕へ誘い込む」ようなものである。これに対して、自らの方法を公にするなら、「窓をいくつか開けて、この地下室に日の光を入れる……のとほとんど同じ」ことを意味する。これは、洞窟から脱出する教育の道に代わる新たな重要なイメージである。というのも、この場合は空間そのものが変質するのであって、もはや個々人の教養や意志にはよらない何ごとかが、人間に対してのみならず、世界に対してなされるからである。ただしこれは瞬間的な出来事ではなく、真理を暴いていく歴史哲学的な連続の過程である。まさしく「真理は、一歩一歩発見されなければならない」のである。窓のメタファーは、光を取り入れる開口部を少しずつ開け放っていくという意味合いによって、真理の段階的な発見を表している。デカルトが自らの思考の転換を描写する際に、閉じられた中世的な「小部屋」がなおもどれほど意味をもっていたかを併せて思い起こしておこう。「私は一日中、たったひとりで炉部屋に閉じこもっていた」[*41]。この記述では、小部屋と世界との関係はまだまったく中世的なままである。「ヴェクトル」は外から内へと向かっている。

ニコラウス・クザーヌス（一四〇一―六四年）は、宇宙誌家（コスモグラファー）のイメージを使って、この点を典型的に描写している。世界図を作るために、宇宙誌家はまずあらゆる経験的データを蒐集し、「扉を閉めて部屋に閉じこもり、……宇宙の創造主に思いを馳せる」[*42]。このように内面に求められる世界の根拠は、人間精神と神的精神との直接的な類縁性を示すものであり、「創造の力が……反映する創造者の徴」である。中世的な「小部屋」が世界から隔離されることではじめて、人間の創造的可能性が輝き出る。世界を断念し禁欲することでのみ、世界の偉大さが発見されるのである。

ここからさらに、「洞窟」は〔人類の〕「進歩」の出発点を表す歴史哲学的なメタファーとして機能するようになる。人間の社会形成の問題は、劫初の洞窟から歩み出るという仮説的な状況を範型とする〔そして実にその図式どおりに、原始の人間の遺跡も洞窟から掘り出される〕。歴史の始まりに洞窟からの脱出があるとする定型主題（トポス）は、すでに古代に先例がある。ウィトルウィウス〔前八〇／七〇―一五年以降〕では、森林が燃える炎が人類を洞窟から誘い出し、はじめて社会を形成するように仕向けたとされる。[43] キケロの場合、個々別々の洞窟での生活から共同体へと移行するよう説得したのは、雄弁術（レトリック）の実践によるものとされる。[44] 衝動による不随意的行動〔炎への反応による文明形成〕、あるいは精神の原初的行使〔言論による社会形成〕という二重の意味は、洞窟からの脱出というモティーフの歴史全体に共通している。これに対して、洞窟内部へわざわざ戻っていくのは、ただ偏頗（へんぱ）な好奇心の表れにすぎない。たとえば『ドン・キホーテ』での洞窟への潜降〔モンテシーノス洞窟の物語〕がそれであり、[45] また印象的なところで、ジャン・パウル〔一七六三―一八二五年〕がキケロ的な洞窟の比喩を模倣しているものもある。[46] ジャン・パウル〔『見えないロッジ』〕では、主人公グスタフは、両親の婚姻時のある契約によって、「天を讃仰するために」〔まさしくストア派的な意味においてて！〕生後八年間は地下で教育される。それは「子供が自然の美に、他方で人間の不健全さに慣れて麻痺してしまわないように」という教育的配慮にもとづいていた。この狙いが達成されたことはのちになって明らかになる。「自然の美しさこそが、彼が他の（女性の）美しさと並んで熱狂的に語ることができた唯一の事柄であり、――大地から出て、世界という見上げるばかりの伽藍に足を踏み入れたときのことを話すと、彼は世界の魅力のすべてをその一暁に圧縮して、このうえなく初々しく語ることができた」[*47]。しかしながら、洞窟を出ることで「進歩」へと踏み出したのなら、その洞窟へと逆行するのは、進歩からも離れることを意味している。そうなると洞窟は、貴族的な孤立の場所、普遍的・人間的なものの下界から逃れる場所、歴史的運動を逆行させる意志の場所となる。〔ニーチェの〕ツァラトゥストラの洞窟[*48]とはそのようなものである。

＊

さて、「補論」へと話が逸れた地点へ戻ることにしよう。光の超越性が一方にあり、他方にその光の内面化があるという話だった。この移行は、光のイメージのメタファー的使用から形而上学的使用への転換を示している。この展開の二つの関連表現は、決定的に新しいある観念によって結びついている。光が「歴史」を獲得するのである。精神の内的光は超越的な光に由来するが、それは「照明」という仕方ではなく、「分裂」という仕方によるのであり、伝達にもとづくのではなく、簒奪や不正な宇宙的な紛糾などの「偶発事」による。絶対的光の分散と再統合のドラマは、グノーシス主義の根本的イメージである。光はもはや世界へと射し込んで存在へと覚醒させることはなく、自身と無縁な敵対的な領域のうちに喪われていく。絶対的光は解放され、もとの根源へと連れ戻されなければならない。暗闇から光にいたる人間の教育の歴史は、闇に吸い込まれながら自己自身へと立ち返る光の歴史に移り変わる。人間はこの歴史の「代理(みがわり)」にすぎない。この歴史は人間のものではなく、宇宙のドラマなのである。こうして「世界」の概念は、解決の見込みのない葛藤に陥る。神的な光からの降下なくしては、目に見える姿ある宇宙(コスモス)や、事物の世界のいかなる根源も存在しないことになるが、——同時に世界の創造は、純粋な光にとっては形而上学的な災厄であり、絶対者の不純化・歪曲なのである。*49

プロティノスもまた、「悪（カコン）」の起源についての論考[50]において、現実の宇宙の成立と悪の発生は同時の出来事であると記している。善の純粋な光と質料の純粋な闇はプロティノスにとって、ともに「非存在（メー・オン）」である。この両極のはざまで、混合のドラマが繰り広げられ、それによって「存在（オン）」が誕生する。このような由来から考えるなら、「存在する」というのは否定的な特徴なのである。存在者のこうした否定性に、ロゴスの否定性が対応する。プラトンの『パイドン』ではソクラテスが〔真理の閃光から〕「言論（ロゴス）」へと退去したが、いまや精神は「言論」への拘束から離れ、純粋な光の名前も概念も介さない直知へと転じなければならない[51]。「模像（アプビルト）」はもはやプラトンの場合のように「原像（ウアビルト）」を指し示すのではなく、詐術（まやかし）のように原像から遠ざけてしまう。ただ直視する者のみがその知を得る[52]。真の認識の「対象」はただ一つしかない。光そのもの、光それ自体である。「遠ざかる」ことはそれだけで「堕落」を意味する。光の形而上学が行き着く必然的な帰結はこうなるように思える。光は善であるかぎり自らを蕩尽し照射するが、同時にそれは自己自身から遠ざかることであり、自己喪失、自己の失墜でもある。こうした事情によって、キリスト教が光の隠喩法（メタフォーリク）を受け入れることはむずかしくなる。〔キリスト教では〕神が自身を照射する結果として「悪」が生まれるなど、起こるはずがない。アウグスティヌス〔三五四—四三〇年〕が、マニ教のグノーシス主義と対決する際に解決しなければならなかった形而上学上の中心的問題がこれであった。世界(コスモス)は神の「創造」である以上、もはや光と卑俗なもの〔質料〕との交合(まぐわい)などではありないというのである。

光の隠喩法と光の形而上学がキリスト教に受容される際には、特徴的な分離が最初になされた。聖書の天地創造神話の第一日目に記述される「光」の起源〔神的光〕が、第四日目の「光」の起源〔太陽や星々の光〕から区別されたのである。この区別を格好で不可欠の入り口として、あらゆる存在者に先立ち、宇宙のどこかの場所に限定されることのない光という思想が導入される。ここから始まって、キリスト教の伝統のなかに数えきれないほど夥しい「光の言説」が現れる。しかしその蓄積(ストック)を列挙するのがここでの目的ではない。むしろ、その移行や受容の際に生じる意味の変化にふたたび注意を向けることにしよう。変形の動機はすでに「創世記」に見られる。第一日目の太陽は〔神から直接に〕創造された光であり、神の命令の働きに由来する。光と闇との対立は根源的な二元論ではなく、神による設定と分離にもとづいている。神そのものはこの対立の及ばないところにあって、その対立を自由に操ることができる。ここでは、古代末期における光のメタファーの傾向である二元論を反転・変形することが求められる。しかしそれ以上に重要なことがある。光のイメージに含まれる表象と、意志による存在者の創出〔創造〕という根本的な表明のあいだにここで深刻な対立が起こるという点である。存在の根底とそこから現象する存在者との関係を光の「モデル」によって理解するなら、光が、照らされるものの上に「おのずと」満ち溢れ、根拠が根拠づけられるもののうちへと流出して流れ込むという理解は、付きまとって離れない。根拠は自らをまるまる伝えて贈与しながらも、けっして消失することはないというのが、光のメタファーが表明する内在的な傾向なのである。さらに光のメタファーのうちには、二元論的な原理的対立ではなくとも、光は光を反射・受容する受け手を前提し、光のうちに現れる基体、すなわち古典的意味での「質料（ヒュレー）」を想定しているということがある。この点で、伝統的な語り口と、新たに語られようとしている事柄とのあいだのずれが生じている。

アレクサンドレイアのユダヤ人フィロン（前二五／二〇—後四五／五〇年）は、聖書の文言をギリシア的形而上学へと変形することによって、光のイメージの受容にとってすでに決定的なことを成し遂げた。フィロンは「創世記」釈義『世界の創造について』で、光という「主要イメージ」に完全に従っている。フィロンは、第一日目の光と第四日目のさまざまな光〔太陽・星々〕を、可知的光から可感的光が生じる発生論的な関係で捉えており、「可知的光（ノエートン・ポース）」は創造というよりは照射と見られている。[53] 意志概念を挿入しても、光のイメージの「自然的観念」を押さえ込むことはできない。それというのもフィロンにとっては、光の概念はプラトンのイデアと同義だからである。プラトンのイデアを運動として見る動的理解は、すでにアカデメイア派の〔アスカロンの〕アンティオコス（前一三〇／二〇―六八／六七年）が着想していた。[54] このように神の意志の作用形態を「照射」とみなし、そこに光のメタファーを適用する考えは、これ以降も繰り返し試みられてきた。[55] しかしここには、形而上学的問題とメタファー的語彙のあいだの和解しがたい異質性がある。期せずしてフィロンにおいては、プラトン的な意図に力点が移されている。つまり光とは、世界内で最初に創造されたものではなく、創造を行う超世界的なものである。創造者としての神こそが「光（ポース）」[56] なのであり、それ自身が「可知的太陽（ノエートス・ヘーリオス）」[57]、存在の光の根源なのである。[58] 聖書の創造思想のこのような「自然的理解」は、中世の後期スコラ学にいたるまで、光の隠喩法の本質的指標であり続けている。

光のメタファーはグノーシス主義の二元論と結びつくとはいえ、それはキリスト教による光のメタファーの受容を抑制はしても、阻止することはなかった。アウグスティヌスが、一方で自由概念を展開し、他方で世界は〔質料からではなく〕「無から（エクス・ニヒロ）」創造されたとする創造思想を厳密に練り上げることで二元論を無力化し、「照明（イルミナティオ）」の考えをキリスト教において正当化する最終的な道を拓いた。後にも先にも、光の言説がこれほど精妙かつ豊かなニュアンスをもって扱われたことはなかった。従来は、「照明」説はもっぱら認識論的関心を中心に考えられてきたため、それにふさわしいだけの包括的な考察がなされずにいる。そのためわれわれはこの認識論的側面には立ち入らず、そのほかに見逃されている点を示唆することにしたい。何よりも重要なのは、アウグスティヌスがどのようにグノーシス主義の光の形而上学から距離をとっているかという問題である。

アウグスティヌスは、マニ教徒たちが「神そのものである光と、神が作った光を区別していない」といって非難している。神はただ単に光なのではなく、「光を生む光」[*59]なのである。アウグスティヌスは、絶対的光から可知的光を通って可感的光へと流出していく存在の光の連続性を採用せず、一連の完結した大思想〔新プラトン主義的流出論〕を棚上げし、創造されない光と創造された光、また「われわれが認識する際の」光と「われわれが知解する際の」光を形而上学的に区別するよう求めている。[*60] われわれの言い方に直すなら、アウグスティヌスは「光の形而上学を光の隠喩法に連れ戻した」のである。光と闇の原初的闘争を語るマニ教の「物語」をアウグスティヌスは激しく論難し、激越な修辞の限りを尽くして、闇による光の打倒・略取・失墜に始まり、人間の協働による光の再解放・浄化・昇華にいたるその劇的な神話全体を攻撃している。[*61] アウグスティヌスの神は、そのような干渉の及ばないものであるばかりか、神が人間に与える光は、「ほかのものによって暗くされうるような光[*62]」ではない。隔絶した光というのは、神の救済意志が確かであるということだけでなく、人間にとって理解可能な真理が照明によって根拠づけられるという点に関わっている。人間は自分自身にとって光であることはできない。「あなたは自身にとって光ではありえない。それは断じてありえない。断じて[*63]」。人間は光ではなく、ただ光によって点火されたときに灯火となるにすぎない。「灯火は点火され、消されることがありうる。しかし真の光は、点火されることも消されることもありえない」。「照らされた光」、「分有によって照らされる」といった表現は、〔真理そのものの光と人間にとっての光の〕「あり方」の差異を厳密に際立たせようとしているが、それと同時に、人間に開示される「真理」の絶対的性格を意味している。[64]

アウグスティヌスは、アカデメイア派の懐疑を背景として、このような発見にいたった。新プラトン主義が主張した真理開示の最高段階、つまり「光のなかへ見入る」という絶対的真理の脱自(エクスタシス)的概念とは異なり、アウグスティヌスは、「光のなかで見る」という古典的なメタファーの形態に立ち戻っている。われわれは、存在者が光に照らされたときに確実に把握できるという経験を通じてのみ光に気づくにすぎない。[65] われわれはいわばいつでも光を「背にして」見ているのであり、それは「内的光」にも当てはまる。というのも、内的光の働きは、それによって事物が露わになる(「事物がそれによって顕現する」[66])ところにあるからである。光は事物を露わにするものではあっても、それ自身は隠れているのであって、このことは、同じ箇所で、「この光という、感覚を超えた闇」という逆説的な表現――新プラトン主義の定式に類似してはいるものの、キリスト教に由来する純然たる言い回し――によって示唆されている。「接近する」(attingere)や「抱擁する」(amplecti)など、プロティノスの用語法に合わせようとの意向はあるものの、「照明(イルミナティオ)」の内面性は、それを「脱自(エクスタシス)〔忘我〕」の意味で理解することを拒んでいる。[*67] アウグスティヌスの場合、「照明」の「場所」は魂の「深奥」なのであり、「記憶」の内面性が優先される。[*68] 「照明」がやってくる「方角」は、脱-自的(エクスタティック)な行為によっては捉えられないことだろう。それに代わって、ここで光のメタファーの教育(パイディア)としての契機がふたたび前面に出てくる。決定的なドラマは光の歴史ではなく、人間の「回心(コンウェルシオ)」なのである。プラトンの洞窟の比喩での言い方を借りるなら、影から目を背けること、あるいはより詳しく厳密には、眼差しを影へと釘付けにしていた縛めを解くことが肝心となる。プラトンの場合でも、縛られた囚人自身の力ではなしえないこと〔外部からの解放者の介入〕が問題になっていたが、それは教育の道にとっては付随的なものであり、重要視されることはなかった。いまやアウグスティヌスは、教育の道に先立って、一切を決する条件として「恩寵(グラティア)」を想定しており、この恩寵は「回心」の経験によって把握される。アウグスティヌスの思想は、「回心の形而上学」なのである。[*69]

最終的に、新プラトン主義の光の形而上学とアウグスティヌスとの本質的な相違を見過ごすことはできない。その相違は、光の言説に含まれる「流れ出る」という言外の意味(ニュアンス)をアウグスティヌスが忌避していたところに現れている。アウグスティヌスは流出の意味での「流れる」（fluere）に対して、彼の愛用語である実体的な「持続する」（manere）をきわめて厳格に対置する。「流動するものはすべて無である。……しかし何であれ、それが持続し、存続し、恒常的にそのようにあるなら、それこそ存在するといえるのだ」*[70]。「無からの創造」の思想を彫琢するには、原質料の暗黒の根底へと光が流れ注ぐといった新プラトン主義の〔連続的〕湧出よりもはるかに先鋭な存在の断絶が必要である。「自身を存在のうちに保持すること」、つまり「自らが存続するのを望むこと」（ストア派の「自己保存」を強化したもの）は、無を背景にして、あらゆる存在者に関する（「実在 existentia」および「本質 essentia」と並ぶ）第三の根本規定の資格を得る。アウグスティヌスはこれに、「持続」（manentia）という新たな名称を与えている*[71]。新プラトン主義では、光が段階的に徐々に流出し、基体(ヒュポスタシス)として多様に自己形成を行うのに対して、アウグスティヌスの創造の用語法は、創造的行為が瞬間にして全体に及ぶことを強調する方向に向かっている。その点は、彼のいう「存在を根拠づける衝撃」（「存続の衝撃 ictus condendi」）が、〔新プラトン主義的な〕

「段階的に接近する」あるいは「段階的に到達する」ものとされる「流れ〔流出〕」を明らかに凌駕するところから端的に窺える。[*72]「〔神が〕命じ、すべては創造された」という仕方で存在の発生を徹底して説明ようとしているため、アウグスティヌスには、光の隠喩法に含まれる（「自然は飛躍しない」という）「自然的イメージ」は受け入れがたかったのである。ただし光の隠喩法のこうした限界は、中世の伝統のなかで実にたびたび一掃されている。「光（ルーメン）」と「流れ（フルーメン）」の音声上の類似のみならず、イメージの類似が、アウグスティヌスが敷いておいた防衛線を突破して、ふたたび影響を及ぼすにいたるのである。

【補論】目と耳

光の隠喩法（メタフォーリク）の用例において、目が光に対応する器官としてあからさまに重要となるのは、照明と視覚との自明な対応関係が妨げられ、さらには破られるような場合である。そうした自明性が崩れるのは、光が溢れ、目を射るほど眩く、目を痛めくらまし瞑らせる場合か、見る者が不純であるがゆえに眼そのものが濁り、当然見られるべきものの前で、あえて故意に目を閉ざす場合である。プラトンの洞窟の比喩では、洞窟の開口部の出入りのそれぞれに対応した視力障害が見られる。光から闇のなかへと入る者と同様に、闇から光へと出ていく者も、視覚がその移行にすぐには馴染めないため、最初は何も見ることができない。*73 洞窟の闇に棲みついて慣れてしまうと、何も見えない状態は解消されはするが、同時にその習癖は、現実を正面から見る立場について錯覚させる元ともなる。この習慣は両義的な働きをもっている。長いあいだかけて闇に棲み慣れてしまうと、やがて陽光のなかでのように、ものがよく見えるようになるからである。どのようにしても慣れることのできない絶対的な眩惑というものは、新プラトン主義において最初に語られる。ただしこの場合、慣れることのない眩惑は積極的な役割を示している。純粋な光に眩惑され、見えることと見えないことが合致するのは、あらゆる神秘思想にいつも現れる根本経験である。その経験が絶対者の現存を確信させ、あらゆる思考と言葉を凌駕し、ただひとつ適切な仕方で超越と出会う道となる。[74] 同時に視覚は、見られるものが強烈な現前の力で闇を貫いて現れ、いわば視覚のうちに侵入する暴力的作用によって触覚の感覚へ、つまりは「接触」へと変わる。そのとき、見ることを可能にする「距離」は失われる。その代わりに「対象」の実在性には、触覚がもつ最高の確実性が与えられる。距離の喪失と、視覚の視点の喪失によって、これまでただ「見る」だけであった者が別物に変貌した。その者はもはやこの自己でもなければ、自己自身が所有するものでもない。彼はいまや、ある別世界、つまり理論的にのみ考察されることを志向し、また考察可能であるような幻影の世界に帰属することになる。[75] この「帰属」によって、語り方はまったく異なる感覚領域へと転移していく。つまり、見ることから聞くことへ、光のメタファーから言葉のメタファーへ、目というメタファー的器官から耳というメタファー的器官への移行が起こるのである。このような移行において、われわれは「メタファー使用の」「自由」の可能性に出会うのである。

強制的に視覚を奪う眩惑によって目を閉じる場合にとどまらず、目を閉じることは、自己への沈潜、内面的省察へと導き、自発的な視線の転換をもたらす。これはアウグスティヌスの「独白（ソリロクィア）」に特徴的な態度であり、絶対者との脱自的な出会いよりも内的な「照明」を強調するものである。しかしプロティノスもまた、誘惑に満ちて自己疎外的な外部世界への視線を遮断するすべを知っていた。われわれがこの現実世界に屈服することを望まないなら、この世界を超越へと上昇するか、内面性のうちに下降するか、いずれかの道しかありえない。[*76] 神秘思想の伝統はこれ以降すべて、目を閉ざすことのこの二重性に立脚することになる。アウグスティヌスは、「目を閉ざす」というメタファーにそれ以上の意味を与えている。闇のなかで目を開けていても何の役にも立たないが、また目を閉ざしたまま「光のうちにある」のも無益なことである。[*77] 前者のイメージは、「善き異教徒」の状況を具象化している。すなわち、見ることとの客観的条件である恩寵が欠落しているために、主観的にも見ようとする意欲が失われている状況である。後者のイメージは「悪しきキリスト教徒」の状態を映している。それは、客観的には見ることの可能性が与えられていながら、それを誤用している場合である。このような対立は、古典的な光の隠喩法のなかでは表現されえないもので あった。そのためには、「目」という契機を取り込むことが不可欠であったからである。「闇」が積極的な役割をもつようになったとき、〔光と目をめぐる〕メタファーの可能性ははじめて極限まで語り尽くされうることになった。これが、夜と闇という「ロマン主義」の概念を特徴づける価値転換である。ノヴァーリス（一七七二―一八〇一年）は第一の讃歌〔『夜の讃歌』〕で、「夜がわれわれに開いた無限の目」ということを語るようになるだろう。[*78] この場合、昼間の世界の光とは、事物に縛られ規定された視線の有限性、その拘束や不自由を意味する。これに対して夜の闇は、対象的な規定を脱落させて、存在が情感を通して渾然一体となって現前している無際限な全体を示すのである。

ギリシア的思考では、あらゆる確実性が可視性のうちに根拠づけられていた。「ロゴス」が依拠したのは、姿の見える形観であり、「形相（エイドス）」であった。「知」と「本質」（形相）は語源的にも「見ること」と密接に結びついている。「ロゴス」とは、見られることの総体である。ヘラクレイトスは、「目は耳よりも正確な証言者」[*79] とみなしている。これこそが、西洋の伝統が異質な思想に直面し、とりわけ聖書的な精神世界の確実性と対峙したときに、まさにこの伝統を深く規定した考え方であった。ギリシア的思考では、「聞くこと」は真理とは関わりがなく、まずは「臆見(ドクサ)」を無節操に伝えるものであり、その発言はいつでも「見ること」によってさらに確証されねばならないものだった。他方で旧約聖書の文書群、およびそこで確認される現実感覚においては、見ることはいつでも聞くことによってあらかじめ規定され、疑問に付され凌駕されるものである。被造物は言葉において根拠づけられ、言葉は束縛となる呼びかけというかたちで被造物につねに先行している。現実は、聞くことによって開かれる意味の地平のうちに現れる。聖書における「聞く」ことの意味がギリシア的伝統に立つ思考にとってはいかに異質なものであったか、その点は、両者の精神世界が最初に根本的な対決を見たフィロンの証言から窺える。フィロンはギリシア的な教養の地平の内部で、旧約聖書の思想内容を咀嚼しようとした思想家だからである。その場合、「聞く」という契機が主たる役割を果たしている内実を、彼がどのように翻訳しなければならなかったかは注目に値する。たとえば、すでに示したように、無から呼び出す言葉による創造を、フィロンは質料の闇を光が照らし出すというふうに読み替えている。明らかにフィロンは、ただ視覚においてのみ、存在者はその存在において露わになると確信していた。[*80] したがってフィロンはまず、人格化された「ロゴス」の啓示を受容する器官を準備しなければならなかった。それは、人間の耳を目へと変容させることで果たされる。なぜならロゴスの非言語的な本質は、目に対し自らを光として告知するからである。[*81] そして旧約聖書におけるシナイ山での十戒の啓示という根本的な出来事も、フィロンは「照明」の経験として解釈し直している。[*82]

新約聖書では、御言葉を聞くことが信仰という態度の源泉となっている。聞こうとしないことは、差し出される救いを拒絶することである。[*83] しかしここにはすでに、ギリシア的「観想（テオーリア）」と調和する形態が告知されており、それがやがては教父思想およびスコラ学において実現されることになる。見ることは終末論的な最終決定のあり方である。待望された、そして歴史を終焉させるキリストの再臨が、それまで見えることのなかった神の、目に見える姿として実現される。これによって古代の理想であった「観想」は、「栄光の状態（スタトゥス・グロリアエ）」を目指すものとみなされる。そしてそれ以降は、人間の認識はただ「途上の状態（スタトゥス・ウィアエ）」ゆえの未熟さと解釈されるようになる。なぜならこの場合は、聞くことは、最終的な「視見（ウィシオ）」を先取りする「手引き」として必要とされるにすぎないからである。旧約聖書では、神はただ一時的に見えないものとなっているのではなく、絶対的に不可視であるとされていたが、その関係が完全に反転される。いまや新約聖書では、「聞くこと」のほうが一時的であり、このことは、到来する「終末」の現前を最も強く訴えた「ヨハネによる福音書」における「見ること」の優位に顕著である。同様に、終末論的な意味合いをもつ復活の事蹟でも、見たことの経験が単なる聴取よりも優位に置かれる。それをきっかけに、終末にまで「観想」を先送りする姿勢は、逆に現世的な生き方にも影響を与え始める。「聞く」ことの役割はふたたび狭められ、言葉の聴取は、「命令を聞く」という領域に限定される。アウグスティヌスにあっては、こうした一連の理解が、「権威（アウクトリタス）」というローマ的な義務の理念と結びつく。懐疑主義によって「見ること」の力が弱められたからこそ、「理性（ラティオ）」と「権威」という二つの決定権が並列しえたのである。[*84]「真理」とは、「見ること」と「聞くこと」の統合となる。しかしながら、真理についてのこの二つの「証人」の並列は、アウグスティヌスその人の場合でも長くは続かない。後期の著作では、神の予定の言葉を「聞くこと」が、「見る」ことの要求——救済意志の根拠を洞見する要求

——を排除してしまう。この場面で、「目」の隠喩法〔自発的に見るというメタファー〕と「自由」の概念との決定的な繋がりが示される。それに対して「耳」の隠喩法は、この自由の限界、それどころかその廃棄を暗示するのである。

「目」と「耳」というメタファーによる表現の質感（ニュアンス）には、感覚能力の現象学全体が含まれている。[*85] たとえば、メタファーとしては「聞こうとしないこと」のほうが、「見ようとしないこと」よりも深刻な事態を指している。というのも、耳は自然本性的にいつでも開かれており、閉ざすことのできないものであるため、「聞こうとしないこと」は「見ようとしないこと」よりも、いっそうの反抗的意志と、自然への攻撃を前提しているからである。マンダ教やマニ教の教義における「呼びかけ」というグノーシス主義的メタファーは、「照明」にもとづく言説よりも、「懺悔（メタノイア）」への絶対的要求をいっそう切羽詰まって有無をいわせない「切実な」現象として示している。

『奴隷意志論』においてルター（一四八三―一五四六年）は、耳のメタファーを目のメタファーと対立させて語っている。恩寵を授ける神の授与は、相対（あい）して事物を見る場合のような、自由な思考のための距離を許容しない。[*86]「恩寵」が予想も予期もできない純粋に突発的な出来事であることは、「聞くこと」にまつわる言説からはっきりと窺える。目は周囲を見回し、選択し、事物へと向かい、それを追跡するのに対して、耳のほうは、叫びや言葉によって襲われ、虜となる。目は探求の眼差しになりうるが、耳は待つことしかできない。見ることは事物を「提示」するが、聞く場合は提示される。「観察者」のように傍観者的でいられる「聞き手」は存在しない。それと対応して、「言葉」も、「光」のような宇宙的普遍性をもつことはない。言葉は本質的に誰かに「向けられる」のである。そしてわれわれは言葉に従い、言葉に服従することはできるが、「光のなかに存在する（イン・ルーケ・エッセ）」ようには、言葉の「うちに」存在することはできない。「聞くこと」によって、われわれは無制約的に要求してくるものに出会うのである。良心の「声」というものはあっても、良心の「光」というものは存在しない。カントにおいて道徳的義務（ゾレン）は、それが自由という前提から演繹され、理解可能になる以前に、動かしがたい「理性の事実」として与えられている。カントが「理性の声」ということを語っているのは筋が通っている。その声は、「意志との関係において明瞭に現れ、消去不可能で、どれほど卑俗な人間でも聞き取りうるものなのである」*87。ここにはやはり「聞くこと」の構造が、いかなる超越的形而上学とも異なった仕方で再発見されている。

さらには、「聞くこと」の隠喩法は、「伝統」という現象の理解にとっても重要である。「見ること」は、目にした経験の「反復」を理想とするのであり、そのことは、実験という方法論による現象の再現に最も顕著に示されている。対象の「現前」という要求は、近代的学問の理念の出発点であり、その要求はベーコン（一五六一―一六二六年）とデカルト（一五九六―一六五〇年）によって、「権威（アウクトリタス）」を模範とする態度への反抗というかたちで宣言された。その場合、伝統に依存する態度は、認識にとって原理的に克服可能な欠陥とみなされる。このように伝統遵守を非難する際に、その前提となっているのは、理性はいつでもその対象を観取（実験）と洞見（演繹）にもたらすことができ、その限り理性にとって「聞くこと」は必要ないとする考えである。要は、存在論的にいえば、一切の所与は反復可能であり、一回だけの事実的な経験などは存在せず、そのようなものは人間の真理獲得においてはまったく重要ではないということである。事実的で一回だけの出来事が人間にとって本質的だとするなら、そのときには伝統に「耳を傾ける」ことが不可欠となり、人間は自らの目で見ることを求めることもなく、ひたすら伝統を「継承」しなければならないことになる。伝統に対する評価には、いつでも目的論的な契機が含まれる。「真理」は人間に定められたものであり、それゆえ伝承という「危うげな」流れに乗ってでも、人間のもとに到達するはずだというわけである。伝統に「耳を傾ける」ことのうちには「見ること」の断念が潜んでおり、そのためそこにはいつでも、「理論的」に正当化しえない目的論的な信頼の要素が含まれる。伝統への依存という意味での「聞く」態度にはある種の渇望が隠れており、それがわれわれを（スコラ学的に表現すれば）「真理の主張（ウェリタス・アセレンティス）」から「事物の明証性（エウィデンティア・オブイエクティ）」へと駆り立てるのである。メタファーの言説から見てみると、このような渇望は、伝統や「権威」、「聞く」という事態が光のメタファーをとおして現れる場合、いたるところに認められる。この点でもまたキケロを真っ先に挙げなければならないだろう。まさにキケロは、ギリシア哲学のラテン語への「翻訳」に関して、「ラテン文学の光」[*88]、または「著者による照明」[*89]ということを語っている。修辞学がこの光の原型である。ヴィーコ（一六六八―一七四四年）は『新しい学』において、法の歴史を、事実の暗闇へ光が拡散するさまになぞらえて描写している。[*90] トックヴィル（一八〇五―五九年）も『アメリカの民主主義』の終結部で、過去がその光を未来へと投じることがなくなって以来、人間の精神は闇のうちにあると否定的に語っている。[*91]

＊

光の形而上学が中世をつうじて辿った歩みは、ここでは簡単な概略を示すだけでよいだろう。この主題に関しては、包括的な著作がいくつもあるためでもあるが、それだけでなく、古代から中世への移行に際して、すでに本質的な決着が下されてしまっているからでもある。イスラームとユダヤの前スコラ学が、「光」を「形相」と同一視し、「形相とは純粋な光である」[*92]とみなすことで、新プラトン主義とアリストテレス主義の融合が図られた。アルベルトゥス・マグヌス（一一九三／一二〇〇―八〇年）はこうした融合体を『諸原因と第一原因からの宇宙の発出について』によってラテン・スコラ学に伝えた。その著作においては、「流出」のメタファー（「存在を目指す形成の流出」）が迷わず用いられており、「能動知性の充満」が「事物の光の輝き」とみなされている点が際立っている。[*93] トマス・アクィナス（一二二四／二五―七四年）は、「光の言説」は隠喩法と形而上学の境界を曖昧にさせるという理由から、その使用を拒否している。トマスにとって光とは、「それ自体として感覚的な性質、感覚において規定された形象」であり、存在者を顕示する理拠（ラティオ）、すなわちその存在論的真理が問われているかぎりで、精神的領域において、「光」はただ「多義的」ないし「比喩的」にのみ語ることが許される。[*94]

これとは対照的に、トマスの同時代人ボナヴェントゥラ（一二一七／二一―七四年）は光の隠喩法を、アウグスティヌスのみに比べられるほど巧みに使いこなしている。光は存在者の「共通本性」であり、[*95] あらゆる事物の根本構造ないし基礎的規定であって、種的な個別化に先行している。ボナヴェントゥラの場合、光はとりわけ人間の内面の光となる。真理そのものが個々のあらゆる真理の根底に働いているように、この光はあらゆる認識に先立ってそれを可能にしている「占有物」であって、徐々に明らかにされていく「取得物」ではない。光は、主観そのものの統一性の根拠へと移行し、それと合致する。そのため神は「真理にしたがって魂のうちに」あるが、それは魂の対象や理念となるわけではない。

それは真理把握の能力そのものであり、その限りで「魂それ自身よりも魂に近しい」[96]。「照明」を内面化するこのきわめて大胆な表現が意味するところはこうである。主観は反省のうちでならいつでも自己を対象化しうるが、その対象化が可能であるためには、先立って内的な光を必要とする、しかもその光は主観にとって、主観そのものよりも「さらに内的」でなければならない、ということである。これは、アウグスティヌスによってすでに示唆された思考の鮮烈な表現となっている。すなわち、内的光はもともと自己の「背後に」なければならず、したがってそこでは「光のなかへ見入る」のは不可能だという思考である。「すべてがそのうちで輝いている真理の光」[97]は、ただ主観の真理把握能力の自己確実性においてのみ「与えられる」。それはいわゆる「認識（コグニティオ）」（ボナヴェントゥラはここにアリストテレス的な「白紙（タブラ・ラーサ）」の余地を認めている）においてではなく、主観に対する存在の根本的な親和性である「認知（ノティティア）」においてあらかじめ与えられているのである[98]。こうして、光の隠喩法にあっては、認識に関して単なる受容性にまさるものが表明された。そうなると、存在とのあらゆる関係を担う神秘的情感である「愛（アモル）」、および根本的な前理論的「認知」は、ひとつの本源的な関係の二つの様相にすぎないことになる。「愛と認知は、魂と本性を共有する」[*99]。「照明」説の哲学的な「成果」はひとえにここで完全に把握される。つまり「照明」説とは、精神の多様な「能力」を超えた根源的な統一性と同時に、あらゆる存在者が現出する地平の究極的統一を示唆しているのである。

ドゥンス・スコトゥス（一二六五／六六―一三〇八年）は、アウグスティヌス的伝統をアリストテレス的な原則によって主張した思想家であったが、彼が「照明」説を極端に限定し、それによってかえって照明説を堅固なものとしたのは一貫した態度といえる。それは、彼が照明のうちに、一種の根源的所与性、一義的な存在の概念の「第一の客体（プリムム・オブイエクトゥム）」を根拠づけたからにほかならない[*100]。ここでは「存在」とは、抽象によって最後に得られる派生物である「共通存在」ではなく、単に可能なあらゆる所与性を先行的に把握する最初にして全体的な意味把握なのである。こうしてここであらためて、照明説の助けを借りて、あらゆる陳述的な真理に先行する真理そのものの「自然性」が正確に具体化されることになった。

いましがた、「あらためて」という言い方をしたが、それはまさにドゥンス・スコトゥスにおいて、アウグスティヌス的伝統があるひとつの傾向に向かうからである。そうして

「自然的光」は徐々に暗くなり、絶対者に対する人間の状況は、「言葉を聞く」ことへと完全に集約されていく。唯名論的な信仰主義は、ふたたび「不合理ゆえにわれ信ず」を表面化するために、その背面に世界の暗黒化を必要とした。「隠れたる神」(Deus absconditus)は、もはや真理の「自然性」を許容しない。この流れは、ニコラウス・クザーヌスが十五世紀にいま一度「光の言説」をあますところなく豊かに展開し、たとえば、『推測について』での二元論のように、メタファーを形而上学としてあからさまに自立させる極端な展開を見せたところで、その流れは阻止されるものではなかった。「真理は大いなる力能をもつ」[101]というクザーヌスの考えは、中世末期において歴史的に孤立した試みである。それよりもさらに重要なのは、中世における「光の内面化」が妨げとなって、世界の闇が主観に完全に浸透することができず、主観を完全に無力化しえなかった点である。メタファーとして語るなら、あまりに多くの超越的な光が主観のうちに「移行」したため、主観は「それ自身が光り輝く」ものとなったのである。アウグスティヌスの照明説の根本命題、「あなたは自身にとって光ではありえない」は、ここで始まる光の言説の転換によって力を失う。人間の精神は、中世末期における「隠れたる神」に向かいながら自己を確立するといった試練を経て、正真正銘の光となる。このことは純粋に文法的な点からいっても、「理性の光」(lumen rationis) や「知性の光」(lumen intellectus) などの表現において、目的格的属格〔理性を照らす光〕から主格的属格〔理性が照らす光〕に移っている点に窺える。これには、その両者がいまだ不明確な移行途上の形態も存在する。たとえばフランシス・ベーコンの「実験の光」[*102] (lumen experientiae) がそれであり、ここでは経験の対象とともに、経験の行為がともに「光」と考えうる。人間精神の光としての性格は、この光が陥る迷妄や過誤の分析や、その迷妄・過誤の除去が哲学的「方法」の新たな課題と捉えられたところからはっきりと見て取れる。[*103]

人間は「自然の光」(naturalis lux) であると〔ボウィルス『知恵ある者について』(一五〇九年) において〕語られるのは、光のメタファーからすれば、新たな時代の幕開けである。[*104] もっとも、まずはじめはその最高の実現形態である「学問に勤しむ人間」(studiosus homo) についてではあるが。人間は、自身にとって如何ともしがたい事実として、自身もその一部となっているような、客観的に定まった世界の構造を発見するのではなく、人間のほうが、世界の構造を彼自身の側から照らし出す構築原理となる。そして「知恵ある者(サピエンス)」として自己を実現することで、人間は世界を制約する照射力を獲得するのである。こうして人間の自己実現は、世界の現実化の条件となる。「知恵ある者」は、「どのようなものであっても、それを固有の目的へと導く[*105]」ことによって世界を「実現」する。世界の認識と世界内の事物の「正しい使用」は、「受容」の関係ではなく、「与える」という関係である。認識と使用をとおして人間は、存在こそ確かにすべてではあるが、人間がすべてを知っているわけではないという存在の大きな欠陥を取り除く[*106]。自然的な事柄は、精神的領域においてはじめて「実現」されるのである。理論と実践はもはや全体を支配する自然から生じた派生物ではなく、その完成であり、存在実現なのである。「つまるところ人間は輝きなのであり、知であり、光であり、世界の魂なのである[*107]」。

このような方向転換がなされると、もはや「啓蒙主義」の概念の包括的な歴史的理解に手が届くところにきている。「啓蒙主義」の概念がフランス語[*108]と英語で「光」の言説に由来することはすぐにわかる。「光の世紀」(siècle des lumières)、「光の進歩」(progrès des lumières)、光の立役者としての啓蒙主義者が、英語の「啓蒙」(enlightenment 開明)と同様に、「光を行き渡らせる」。啓蒙主義によって、「光」は達成されるべきものの領域へと移っていく。真理は、それ自身からおのずと現れ出るといった自然な「機動性」(facilitas)を失ってしまう。さらにより正確にいうと、光の隠喩法(メタフォーリク)と、自ら現出する真理の「自然性」への信頼との関係が断絶する点は、最初には戯画(カリカチュア)的に確証される。ガリレイ(一五六四―一六四二年)は、『天文対話』の登場人物シンプリチオ――皮肉(アイロニー)まじりにしばしば「中世的」なスコラ学者の装いで描かれる人物――が真理に対するこのような信頼をもっているように描いており、そうした信頼はいまや軽率な思い込みにすぎないことが暴かれる。たとえば、潮汐運動の原因という問題が議論される際に、シンプリチオはこんな具合に語っている。「潮汐運動にはただ一つの原因しかありえません。しかしそれについては多くの見解が提示されるでしょう。そのなかには真なる説明は存在しないことを銘記しておかねばなりません。というのも、真実なものがこれほど多くの誤謬の暗闇をとおして姿を現さないほどわずかな光しかもたないとしたら、それこそまったくもって奇妙なことだからです」[*109]と。啓蒙主義において光のメタファーの転換がなされたことで、自ら輝き射抜き通すものという真理観から、中世に対する非難が生じてくる。要は、中世は光を信じるあまり、自らがもっている闇に気がつかなかったというわけである。

ダランベール（一七一七―八三年）によれば、中世の一二〇〇年のあいだに学問・芸術の諸原理は失われてしまった。美と真理は、人間の身辺いたるところに現れると見えていたにせよ、それは適切な手引きがあってこそ到達できるものだからである。[*110] 真理が「自ら現れる」という捉え方からして、まさしく中世の無知さ加減を窺わせる見せかけであった。真理は自ら現れるのではなく、示されなければならない。真理が「自然に」照射力をもつというのは怪しい言い分なのである。むしろ真理は一種の先天的な弱点をもっており、人間はいわば光で照らす療法によってこれを立て直してやらねばならない。「それというのも真理にとっては、誤謬と混淆していたり、隣接したりしているほど危険なことはなく、それほど真理をみすみす誤解させるものはないからである」。[*111] これこそ、ガリレイがシンプリチオをとおして真理に帰したものと、まさに正反対の事態である。真理のこうした弱点や、育成を必要とする点は、それでもなお後期中世の神概念の背景として感じ取れる。ダランベールは宇宙を、「崇高な難解さ」をもつある種の書物になぞらえるのだが、その書物の著者〔神〕は、たびたび「閃光」によって読者〔人間〕を照らし、読者自身がすべてを理解したかのような錯覚を引き起こす。[*112] 見出された「自然の」光はそれゆえに、まさしく誤りへ導く働きをもっている。したがって、世界という迷宮にあっては、ひとたび人間が道を踏み外したとき、わずかな「閃光」が人間をさらに迷わせることもあれば、ふたたび正しい道へと連れ戻してくれることもある。[*113] こうして神の戯れの場と化した世界において(「〈至高の知性〉は……われわれの好奇心をもてあそぶことを望んだように見える」[*114])、一つひとつの真理の価値は、そのまとまりのないあり方が体系的な統一に仕上げられないかぎり、真理への光と誤謬への鬼火との両義性をもっている。「真理」そのものは、方法にもとづき規則立って生み出され、体系の内部に定まった位置をもたないなら、曖昧なままなのである。「辞書」ないし「百科全書」は、啓蒙の模範的な手段となる。ダランベールは、あの大『百科全書』の「序論」だけでなく、併せてその形而上学をも書いたのである。

ベーコンとデカルトに始まる「方法」の理念においては、「光」は有効なものと考えられた。[*115] 与えられる事象はもはや光のなかにあるのではなく、ある特定の観点から照らし出される。結果的に、光が対象に当てられ観察される際の角度が問題となる。いまや遠近法(パースペクティヴ)の諸条件、およびその意識化、その自由な選択が「見ること」の概念を決定する。近代においては、遠近法、つまり視点意識の意味が、それ自体として探求の課題となる。ここからはさらに、光の隠喩法（メタフォーリク）のうちにいかに技術としての性格が入り込んでくるのか、周囲を取り巻く媒体としての光から、方向をもち調光された「照射」の光線がいかに生まれるのかが、わずかながら暗示される。絵画の場合が、歴史の刻印が見られる好例となるだろう。描写される対象がくまなく現れることを保証し、「見える」ことの当然の前提とされた均質な媒体たる光は、十六・十七世紀には、「調節」の可能な限定的な要素となる。カラヴァッジョやレンブラントはすでに「光の演出」ともいうべきものを身につけているが、方向づけられた光の「量」は――逆二乗の法則に従って――まださほど多くはない。

ようやく十九世紀になって、劇場ではドラモンドの発明した舞台照明（ライムライト）が、凹面鏡との組み合わせによって、光の「効果」を生み出すことが可能になった。これとともに、明暗を強調したまったく新機軸の光学の可能性が開かれた。この光学は、暗闇を「自然」の状態として、そこから舞台が始まるといったものである。ところが、一方向を照射する光というものの可能性がひとたび発見されると、この発見に合わせた技術がついにはきわめて強引な手段を開発するにいたった。人工的な光で容赦なく明暗を際立たせる技法に、「照明（イリュミネーション）」の名称が当てられたというのも特筆すべきだろう。この技法は、技術的な選別と誇張によって舞台装置のなかでただひとつ見るべきもの、見逃してはならないものを際立たせる。こうした光の操作は、長い年月を経て生み出された。闇の空間に調光の光学が導入され、満遍なく広がる可視光の媒体のなかで周囲を漫然と見回すといった自由が排除され、強制的な光学に支配された状況を現代人に向けてますます整えていく。[116] 見ることと自由との繋がりは分離される。感覚領域の近代的な拡大は、調光に支配され、技術的に前もって制御された状況と視座（アスペクト）に縛られたかたちで果たされるのであって、自由の源泉となるわけではない。[117] 視線の固定と光学的調光の世界は、構造的にふたたび「洞窟」に接近していく（W・H・オーデン〔一九〇七―七三年〕は『不安の時代』において、現代人が洞窟の状況に置かれていると示唆している）。「洞窟からの脱出」は、教育に関わるメタファーとしてあらためて現実味を帯びることとなった。

「照明（イリュミネーション）」の技術的な光によってあの手この手で違和感のある光学を押し付けられるところから、現代の人間は、古代的な「天の観照者（コンテンプラトル・カエリ）」、および観照の自由とは、歴史的には対極に位置する。現代では、いまだひとつとして星を正視したことのない人間が存在する。「星だって？　そんなものはどこにあるのか？」――これは大都市に暮らす現代の抒情詩人の、信じるに足る不信の叫びである。*118

註

*1——〔訳註〕「形相的還元」「中立性変様」「エポケー」など、独自の概念を次々と造語したフッサールの現象学、「現存在」「道具的存在」「現前存在」など、ドイツ語の日常語を哲学用語へ転用したハイデガーの存在論などが念頭に置かれていると思われる。

*2——〔訳註〕二十世紀のドイツ・プロテスタント神学は、K・バルト（一八八六—一九六八年）による「信仰」や「啓示」の徹底した定義に始まり、モルトマン、パネンベルクなどの議論を通じて豊かな展開を見せた。

*3——〔訳註〕神話を克服することで学問が成立するというのは、合理的・啓蒙主義的近代に固有の観念であり、ブルーメンベルクはヴィーコを模範として、こうした傾向にあらがおうとする。『メタファー学のパラダイム』（村井則夫訳、法政大学出版局、二〇一二年）

では、以下のように語られている。「神話とロゴスの働きの違いを把握するには、神話とロゴスの二分法という図式、あるいは〈神話からロゴスへ〉という移行の図式では十分ではないことは明瞭である」(第七章)。そのため、神話とロゴスの両者を媒介する「移行」として、「メタファー」の意義が積極的に提起される。

＊4——〔訳註〕『メタファー学のパラダイム』第一章「真理の力」では、真理のメタファーである「光」がすべてを圧倒し、同意を強要するという「強さ」の事例として、セクストス・エンペイリコス『学者たちへの論駁』の以下の文章が言及されている。「把握的表象は明瞭で印象的なものであるから、彼らが言うには、ほとんど髪を引っ摑むようにして、われわれを承認へと引っ張っていくのである」(Sextus Empiricus, *Adversus Dogmaticos* VII, 257〔『学者たちへの論駁』二「論理学者たちへの論駁」金山弥平・金山万里子訳、京都大学学術出版会(西洋古典叢書)、二〇〇六年、一二〇頁〕)。

＊5——現時点でもまずは、Cl. Baeumker, *Witelo: Ein Philosoph und Naturforscher des dreizehnten Jahrhunderts* (*Beiträge zur Geschichte der Philosophie des Mittelalters* III, 2), 2. Aufl., Münster 1908 を挙げなければならない。これは資料の豊富さの点で、いまだに他の追随を許さない。古代については R. Bultmann, Zur Geschichte der Lichtsymbolik im Altertum, in: *Philologus* XCVII (1948), S. 1ff. J. Stenzel, Der Begriff der Erleuchtung bei

Platon, in: *Die Antike* II (1926), S. 235–257. 中世に関しては、J. Geßner, Die Abstraktionslehre in der Scholastik bis Thomas von Aquin mit besonderer Berücksichtigung des Lichtbegriffes, in: *Philosophisches Jahrbuch* XLIV (1931)–XLV (1932). M. Honecker, Der Lichtbegriff in der Abstraktionslehre des Thomas von Aquin, in: *Philosophisches Jahrbuch* XLVIII (1935), S. 268ff. L. Baur, Die Philosophie des Robert Grosseteste, in: *Beiträge*, XVIII, 4–6, Münster 1917. P. Garin, *La théorie de l'idée suivant l'école thomiste*, Paris 1930. R. Carton, *L'expérience mystique de l'illumination intérieure chez Roger Bacon*, Paris 1926. アウグスティヌス、ボナヴェントゥラ、神秘思想、ニコラウス・クザーヌスについては、代表的な文献がそれぞれ豊富な資料を含んでいるが、それらを十分に活用しているとはいえない。近代に関しては、光のメタファーの歴史がさらに「続行」していることを立証することが必要である。

*6 ——H. Diels, W. Kranz, *Die Fragmente der Vorsokratiker*, 3 Bde., Berlin 1951–52, 28 [Parmenides], B 9.〔内山勝利編『ソクラテス以前哲学者断片集』第II分冊、岩波書店、一九九七年、九一頁。「しかしながら、すべてのものが〈光〉と〈夜〉と名づけられ、さらにそれぞれの力に対応した名が、このものに、またかのものにとつけられたからには、すべては同時に、光と暗い夜によって満たされている」〕。さらには、シンプリキオ

スによる証言を参照。*Ibid.*, B 8, 53-59.〔「彼ら死すべき者は、二つの形態に名を与えようと心に決めた。／その一つだけでも名を与えるべきではなく、ここに彼らの誤っている点がある。／そして彼らはこれらのものを、反対の姿のものとして区別し、／互いに別々のしるしを与えた。すなわちその一つには、天空の焔の火／――／それは穏やかできわめて軽く、あらゆる方向において自分自身と同じであるが、／他方のものとは同じでない、そしてかのもう一つのものも、それ自身として／ちょうどこれと反対のもの、暗い夜であり……」〕

＊7――Aristoteles, *Metaphysica* I, 5, 986a25s.〔アリストテレス『形而上学』出隆訳、『アリストテレス全集』一二、岩波書店、一九六八年、二三頁。「同じピュタゴラスの徒のうちでも他の人々は、原理を十対あると言って、それを双欄表に列挙している。すなわち、有限と無限、奇数と偶数、一と多、右と左、男と女、静と動、直と曲、明と暗、善と悪、正方形と長方形がそれである」〕

＊8――H. Diels, W. Kranz, *op. cit.*, 28, B 1, 10.〔『ソクラテス以前哲学者断片集』第II分冊、七五頁。「そこに〈夜〉の道と〈昼〉の道があって……」〕

＊9――*Ibid.*, 28, B 2, 5ss.〔同、七八頁。「探求の道として考えられるのは如何なるもののみぞ／その一つは〈ある〉そして〈あらぬことは不可能〉という道／……他の一つは〈あ

らぬ〉そして〈あらぬことが必然〉という道……」〕

＊10――〔訳註〕Platon, *Politeia* VII, 514Ass.（プラトン『国家』藤沢令夫訳、『プラトン全集』一一、岩波書店、一九七六年、四九二頁以下。「地下にいる洞窟状の住まいのなかにいる人間たちを思い描いてみよう。……人間たちはこの住まいのなかで、子供のときからずっと手足も首も縛られたままでいるので、そこから動くこともできないし、……頭を後ろにめぐらすこともできないのだ」）。洞窟の比喩に発する問題について、ブルーメンベルクはのちに大著『洞窟の出口』（*Höhlenausgänge*, 1996）を著している。

＊11――M. Heidegger, *Platons Lehre von der Wahrheit*, Bern 1947, S. 25f.〔ハイデガー「真性についてのプラトンの教説」辻村公一訳、『ハイデッガー全集』九『道標』、創文社、一九八五年、二六六頁。「パイデイアとは、プラトンの本質規定に従えば、魂全体の転向、つまり人間全体をその本質において向きを変えることへの導きを意味している」〕

＊12――Platon, *Politeia*, 509B.〔プラトン『国家』、四八二頁。「太陽は眼に見える事物に対して、見える可能性を与えるだけでなく、それらを生成・成長させ、養い育むものでもある、ただし太陽それ自身は生成するものではないが、と君は言うのではないかね」〕

＊13――U. v. Wilamowitz-Moellendorff, *Der Glaube der Hellenen* I, 2. Aufl., Darmstadt 1955, S. 135.

＊14——R. Bultmann, *op. cit.*, S. 13.

＊15——J. Stenzel, *op. cit.*, S. 256.

＊16——Aristoteles, *De anima* III, 2, 425b20-27.〔アリストテレス『魂について』中畑正志訳、新版『アリストテレス全集』七、二〇一四年、一三〇頁。「〈見ているもの〉もある意味では色づけられている。なぜならそれぞれの感覚器官は、感覚されうるものをその素材をともなわずに受容するものだからである」〕。この箇所について、W. Bröcker, *Aristoteles*, Frankfurt a. M. 1935, S. 148 は以下のように述べている。「アリストテレスは、見ることを何らかの主観のうちの出来事と捉えるのではなく、目に見えるものが自らを示すことと理解している」。

＊17——K. v. Fritz, Tragische Schuld und poetische Gerechtigkeit in der griechischen Tragödie, in: *Studium Generale* 8 (1955), S. 228.

＊18——Seneca, *Epistulae Morales* CII.「この神的なものと人間的なものの合成物を分かつその日が来たなら、肉体は私がそれを見出したこの場所に置いていき、私自身は神々のもとに戻ろう（22）。……新たな生の始まりが、新たな存在のあり方が私たちを待ち受けている。私たちはまだ、ある距離を隔てなければ天を戴くことができない（23s.）。……いつかは自然界の秘密が君に開示されるであろう、君の目を覆う靄は払い除けられ、輝

かしい光が至る所から君を打つであろう。君は独り心に思い描くがいい、数多の星々が互いに光を混ぜ合わせるときの何とも大いなる煌めきのさまを。いかなる影もその晴朗を見出すことはなく、天空は全域にわたって等しく輝くことだろう。昼と夜は大気の底で起こる交替にすぎない。その時、君は自分がそれまで闇の中で生きていたと言うだろう、まったき光をまったき者となって眺めたその時には。その光を、君は今、目というごく狭い隙間を通してかすかに垣間見るだけだが、それでもこのかなたからさえ、もうすでにそれを驚き眺めている。その神的な光を当のその場所で見たなら、それは君の目には何と映ることだろうか（28）」〔セネカ『倫理書簡集』一〇二、大芝芳弘訳、『セネカ哲学全集』六「倫理書簡集Ⅱ」、岩波書店、二〇〇六年、二四三頁以下〕。

＊19――Plotinus, *Enneades* VI, 7, 17.「無形で無形相であった」〔プロティノス「いかにしてイデアの群が成立したか。および善者について」水地宗明訳、『プロティノス全集』四『エネアデス（エネアスⅥ）』、中央公論社、一九八七年、四四二頁〕。

＊20――Platon, *Phaidon*, 99E-100A.〔プラトン『パイドン』松永雄二訳、『プラトン全集』一、一九七五年、二九一頁〕。〔訳註〕真理を直接に見るのではなく、言論に映されたその間接的な姿によって究明するというやり方が、プラトンによって「第二の航行」（次善の策）と呼ばれる。

＊21——W. Dilthey, [Das natürliche System der Geisteswissenschaften im 17. Jahrhundert], Gesammelte Schriften, II, Leipzig 1923, S. 177.〔ディルタイ「十七世紀における精神科学の自然体系」宮下啓三訳、『ディルタイ全集』七「精神科学成立史研究」、法政大学出版局、二〇〇九年、一九六頁〕

＊22——M. T. Cicero, *De officiis* II, 2, 8.「われわれの学派（アカデメイア派）はあらゆる事柄について討論をする。なぜなら、当否両面の根拠から協議しなければ、真理らしいことが輝くことはないからである」〔キケロ『義務について』高橋宏幸訳、『キケロー選集』九、岩波書店、一九九九年、二二五頁〕。K・アツェルトの翻訳（Limburg 1951）では、「……なぜなら、……しなければ、真理らしいものが自らをまず正しい光のうちに移さなくてはならないからである」となっており、この elucere を他動詞のように訳しているため、光の隠喩法のもつ意味が不明瞭になっている。これに対して、K・ビューヒナーの翻訳（Zürich 1953）は適切である。「なぜなら、……しなければ、この燦然たるものがまさに光り輝くことはないからである」。もともとアツェルトはキケロのうちに、近代的に変容した「光のメタファー」をあらかじめ持ち込んでいるのに対して、ビューヒナーは、〔アカデメイア派という〕懐疑主義者のうちにプラトン的前提がなおも生き残っていることを正しく見抜いている。総じて、アカデメイア派の懐疑というのは、それが自認す

る以上に、「プラトン主義的」である。それは何も、アカデメイア派の懐疑が、プラトンの設立した学園（アカデメイア）で「芽生えた」という制度上の理由にもとづくだけではない。その懐疑はプラトン主義、およびイデアの超越というプラトン主義の思想そのものの帰結なのである。アルケシラオス（前三一六／一五―二四二／四一年）が、表向きは懐疑主義者として振る舞っていたが、ごく身近な学生たちの精鋭グループに向けてはプラトンの正統的思想を伝授していたという風説は、いみじくもこの事態と合致している（Sextus Empiricus, *Pyrrhoniae hypotyposes* I, 33, 234〔セクストス・エンペイリコス『ピュロン主義哲学の概要』金山弥平・金山万里子訳、京都大学学術出版会（西洋古典叢書）、一九九八年、一一九頁〕）。とりわけプラトン主義的要素の残存は、「真理らしさ」の意味から窺える。この概念においては、イデアと現象の差異が、「真理」そのものへと転入しているのである。キケロは、懐疑を含む〔ギリシア語〕「信じられるもの（ピタノン）」を「真理に似ているもの」（verisimile）とラテン語訳した。その際に彼は、最初「あたかも」（quasi）の語を添えて、メタファーとしての意味を明示していたが（M. T. Cicero, *Lucullus* 32）、やがてその語だけを術語化した。「真理らしいもの」は、（詐りの意味で）真理のように「見える」というだけではなく、真理そのものの照出であり、人間にとっては真理の十全な現出なのである。アウグスティヌスは、アカデメイア派の懐疑との論争に際して、「真理らしい」(verisimile) の語のうちに「真理」(verum) が含まれることを前提とした議論を展開している (Augustinus, *Contra Academicos* II, 12, 27〔アウグスティヌス『アカデミア派駁論』清水正照訳、『アウグスティヌス著作集』一、教文館、一九七九年、八二頁〕)。

〔訳註〕「真理らしさ」、「蓋然性」をめぐる詳しい経緯は、『メタファー学のパラダイム』第八章を参照。そこでは、もともと修辞学に起源をもつ「真理らしい」が、やがて近代の「蓋然性〔確率〕」へと移行していく過程が叙述されている。

*23——M. T. Cicero, *De officiis* I, 6, 18.〔キケロ『義務について』、一三七頁。「〔真実の認識を妨げる二つの過ちのうち〕もう一つは、あまりに過大な研鑽、多大な努力を、難解で混沌たる事物、しかも不必要な事物に注ぐという過ちである」〕

*24——アンブロシウス (三三九頃—九七年) は、キケロの『義務について』に対抗する著作〔『聖職者の義務について』〕においてキケロを超えて、キケロが幾何学と天文学を——「公共的問題」(societas) であるという理由で——高慢な好奇心から除外したことを非難している。なぜならそれによって、「救いの問題」が軽視されてしまうからである (Ambrosius, *De officiis ministrorum* I, 26, 122)。「混沌たる事物」に関わりをもたないことが、キリスト者には必要とされる。キリスト者は、「隠れたものを露わにする」審

判者への信仰をもつからである（I, 26, 124）。ここには、「好奇心」と自然研究を同一視する中世の思考がすでに始まっていることが容易に窺える。

〔訳註〕この「好奇心」に対する消極的評価が転換することで、「理論的好奇心」が自立し、近代的な科学が成立する。その経緯については、ブルーメンベルク『近代の正統性』第二部を参照（ブルーメンベルク『近代の正統性II』忽那敬三訳、法政大学出版局、二〇〇一年）。

＊25――M. T. Cicero, *De divinatione* I, 35.「（原因は）おそらく自然の錯綜した闇のうちに隠されているのだろう。なるほど神は、私がそれを知ることではなく、ただ使用することを望んだのである」。こうした見解がキケロにとってどのような意味をもっていたかを、G・ガウリックは学位論文「キケロの哲学的方法についての研究」（G. Gawlick, »Untersuchungen zu Ciceros philosophischer Methode«, Kiel 1956）で、「きわめて難解で、……まるで見通しの効かない問題」（perdifficilis ... et perobscura quaestio [De natura deorum I, 1, 1〔キケロ『神々の本性について』山下太郎訳、『キケロー選集』一一、二〇〇〇年、四頁〕]）という言い回しをめぐって指摘している。そこではまた多くの典拠が列挙され、人間を中心に照らされる「配分（エコノミー）」的な存在の光の外側には、事物の「自然」の闇が広がっているといった考えが示されている。

＊26――Id., *De officiis* I, 9, 30.「それゆえ、公正か不正か迷うようなことはするなと言ってくれる人は良い忠告者である」〔キケロ『義務について』、一四四頁。本文で次に引用される「公正はそれ自体で……」はこの直後の文章〕。

＊27――この箇所の繋がりが悪いため、いくつかの版では、「公正」のあとに「なぜなら」(enim)の語を補って辻褄を合わせている。アツェルトは一九四九年の新版で、一九三九年版をそのように改訂しているが、異同箇所の註記ではそのことを説明していない。しかし一九五一年の独訳では、根拠の乏しいこの「なぜなら」を、文脈の正しい感覚によって省略して訳している。ビューヒナーやギゴンも同様である。

＊28――M. T. Cicero, *Tusculanae Disputationes* III, 1, 2.「(自然は)われわれに微かな灯火を与えたが、われわれは直ちにそれを悪い習慣によって吹き消したため、自然の光は現れることがなくなってしまった」〔キケロ『トゥスクルム荘対談集』木村健治・岩谷智訳、『キケロー選集』一二、二〇〇二年、一五六頁〕。

＊29――Id., *De officiis* II, 9, 32.「われわれが立派なこと、適正なことと呼ぶものは、それ自体の力でわれわれに是認され、万人の心をその本性と外観によって揺り動かし、これまで述べてきた徳のなかでも、いわば最大の光を放つ。それゆえ、そうした徳を具えているとわれわれが認める人びとに愛着を抱くことは、まさに自然の力が強制することなので

ある」〔キケロ『義務について』、二四〇頁〕。カントの「尊敬」の概念では、重点は「強制する」というところにほぼ完全に移っている。「尊敬とは、われわれが望むと望まざるとにかかわらず、偉功あるものに対して拒むことのできないしるしである」(I. Kant, *Kritik der praktischen Vernunft* 1, 1, 3〔カント『実践理性批判』波多野精一ほか訳、岩波書店(岩波文庫)、一九七九年、一六二頁〕)。このような事情になると、もはや光のメタファーを使うことはできない。

*30——M. T. Cicero, *De natura deorum* II, 37, 95.〔キケロ『神々の本性について』、一四九頁。「この点につき、アリストテレスは見事に述べた。〈もし大地の下で太古から暮らす人間たちがいて、……幸福とみなされる人たちが具えるようなあらゆる良きものをことごとく具えている、しかし地上には一度も出たことがない、そのような者たちがいたとすれば、彼らはまず噂や又聞きによって、ある種の神意や神々の力が存在することを知るのである。続いて、あるきっかけで大地の顎が開き、それまで隠されていた住まいから抜け出し、いま私たちが住んでいる地上に出てくることが可能になれば、彼らは大地や海、天をただちに目にし、雲や風の大きな力を知ったり、あるいは太陽を見て、その大きさと美しさを知るとともに、空一杯に光を溢れさせ、昼を作り出すその働きに注目するであろう……〉」〕。V・ローゼ(一八八六年)、R・ヴァルツァー(一九三四年)、W・D・

ロス（一九五五年）らは、この引用文になんら疑いを挟んでいない。W・イェーガーも『アリストテレス』（Berlin 1923, S. 167）でこの箇所を裏づけとして、初期アリストテレスのプラトンとの近さを示し、ただしアリストテレスなりのプラトンの改変（アレンジ）を指摘している。ただし、ここにはあまりにもストア派的な要素が多く含まれているというE・ブルク（一九五〇年）の示唆によって、筆者はこのテクストの真正性に疑念を抱いた。とはいえこれは、キケロが「翻訳」ということで理解していた程度の問題の範囲に属するのかもしれない。ガウリックは前掲書において、この点に関して有利な、重要で新たな典拠を示している。もとより問題の全貌は、確信をもって判断できるにはいたっていない。われわれとしては、ここで考察した文脈にのみ限定して評価しておけば確実だろう。

＊31——M. Heidegger, *op. cit.*, S. 33.「真理が別の本質をもつようになり、非隠蔽性ではなくなり、少なくとも非隠蔽性によってともに規定されることがなくなるなら、〈洞窟の比喩〉は、イメージに訴える力を失う」〔ハイデガー「真性についてのプラトンの教説」、二七五頁〕。洞窟のメタファーがどれほど深く、そして厳密にプラトンの思想に根づいているかは、すでに『パイドン』（109E〔前掲、三二六頁〕）にその予兆が見られる。そこでは、〔実在と影との〕現実認識の取り違えが述べられ、欺きの場である洞窟の深みか

ら上昇すべきことが語られる。

*32――Pherekydes von Syros, H. Diels, W. Kranz, *op. cit.*, 7, B 6.〔『ソクラテス以前哲学者断片集』第I分冊、一九九六年、九六頁。「シュロスのペレキュデスが、〈奥処〉〈穴〉〈洞窟〉〈扉〉〈門〉について述べて、これらの言葉によって、魂たちの誕生と死を暗に語っているとき……」〕

*33――〔訳註〕ホメロス『オデュッセイア』では、トロイア戦争後に帰路に就いたオデュッセウスが、オーギュギア島に漂着してカリュプソと過ごす挿話が語られている（ホメロス『オデュッセイア』上、第五歌、松平千秋訳、岩波書店（岩波文庫）、一九九四年）。

*34――Justinus, *Dialogus cum Tryphone Judaeo* LXXVIII, 5-6.（おそらく *Protevangelium Jacobi* XVIII, 1 から採られたとおぼしい〔『ヤコブ原福音書』八木誠一・伊吹雄訳、『聖書外典偽典』六「新約外典」一、教文館、一九七六年、一〇七頁。「するとそこに洞穴をみつけて、彼女（マリア）を中に連れて入り、……」〕）。これに関しては以下を参照。C. Schneider, *Geistesgeschichte des antiken Christentums* 1, München 1954, S. 250. そこではさらに、(Ps.) Basilius, *Homilia in nativitatem Christi* が示唆されている。加えて、E. Benz, Die heilige Höhle in der alten Christenheit und in der östlichen orthodoxen Kirche, in: *Eranos-Jahrbuch* XXII (1953) を参照。

＊35——その最近の反映は、エズラ・パウンドの『詩編』(*Canto*, XLVII) に見られる。「光が洞窟に入ってきた。めでたきかな！　めでたきかな！／光が洞窟のなかに降臨する。／荘厳のうえにも荘厳なるかな。」

＊36——Anselmus, *Proslogion* c. 1.〔アンセルムス『プロスロギオン』古田暁訳、上智大学中世思想研究所編訳／監修『中世思想原典集成』七「前期スコラ学」、平凡社、一九九六年、一八六頁〕

＊37——Cf. H. Friedrich, *Montaigne*, Bern 1949, S. 307.

＊38——F. Bacon, *Novum organum* I, 42.「〈洞窟のイドラ〉とは人間個人のイドラである。各人は（一般的な人間本性の誤りのほかに）洞窟、すなわち自然の光を遮り損なうある個人的な穴をもっているから。……したがってたしかに人間の精神とは、（個々の人における素質の差に応じて）多様でそしてまったく不安定な、いわば偶然的なものなのである。それゆえにヘラクレイトスが、人々は知識をば（彼らの）より小さな世界のうちに求めて、より大きな共通の世界のなかに求めない、といったのは正しい」〔ベーコン『ノヴム・オルガヌム』桂寿一訳、岩波書店（岩波文庫）、一九七八年、八四頁〕。

＊39——〔訳註〕H. Diels, W. Kranz, *op. cit.*, 22 (Herakleitos), B 2.「共通なロゴスに従うべきなのだが、ほとんどの人間は自分だけの智に頼って生きている」（『ソクラテス以前哲学者

断片集』第I分冊、三〇九頁)。

＊40——R. Descartes, *Discours de la Méthode* VI, ed. E. Gilson, p. 71.〔デカルト『方法序説』谷川多佳子訳、岩波書店（岩波文庫）、一九九七年、九三頁〕

＊41——*Ibid.* II, p. 11.〔同、二〇頁〕

＊42——N. Cusanus, *Compendium* VIII.〔クザーヌス『神学綱要』大出哲・野澤健彦訳、国文社、二〇〇二年、四一頁〕

＊43——Vitruvius, *De architectura* II, prooemium.〔『ウィトルーウィウス建築書』森田慶一訳、東海大学出版会、一九七九年〕

＊44——M. T. Cicero, *De inventione* I, prooemium.〔キケロ『発想論』片山英男訳、『キケロー選集』六、二〇〇〇年、三頁。「多くの都市が建設されたのも、大多数の戦争が終結したのも、緊密な同盟が締結され、硬い友情が結ばれたのも、理性ばかりでなく弁論の成果でもあった」〕

＊45——〔訳註〕M. de Cervantes, *Don Quijote* II, 22; 23.（セルバンテス『ドン・キホーテ』続編一、永田寛定訳、岩波書店（岩波文庫）、一九五三年、三〇九頁以下）

＊46——Jean Paul, *Die unsichtbare Loge*, 3. Sektor.〔ジャン・パウル『見えないロッジ』恒吉法海訳、恒吉法海・九州大学リポジトリ翻訳研究11、二〇一六年、三〇頁〕

＊47――*Ibid.*, 30. Sektor.〔同、一六七頁〕

＊48――〔訳註〕『ツァラトゥストラはこう語った』冒頭では、ツァラトゥストラが一〇年ものあいだ、蛇と鷲だけを友に孤独に過ごしたことが述べられる（ニーチェ『ツァラトゥストラかく語りき』佐々木中訳、河出書房（河出文庫）、二〇一五年）。

＊49――〔訳註〕キリスト教とプラトン哲学を極端な仕方で結びつけたグノーシス主義では、旧約聖書の神が「デミウルゴス」と呼ばれ、この神の創造によって物質的世界という「災厄」（闇）が生まれたと考え、霊的イエス（光）による救済を求める。

＊50――Plotinus, *Enneades* I, 8.〔プロティノス「悪とは何か、そしてどこから生ずるのか」田之頭安彦訳、『プロティノス全集』一『エネアデス（エネアスⅠ）』、一九八六年、三〇九頁以下〕

＊51――*Ibid.* VI, 9, 4.〔プロティノス「善なるもの一なるもの」田中美知太郎訳、『プロティノス全集』四、五七三頁。「知識というものは一つの言論（ロゴス）であって、言論はすなわち多なるものだからである。したがって魂は、数多に堕して、一体性を逸脱することになる。それゆえに、すみやかに知識を越えていかねばならない」〕

＊52――*Ibid.* VI, 9, 9.〔同、五九二頁。「そこに見ることができるのは、見ることが許される限りのかのものであり、また自己自身なのである。その自己自身は、知性的な光明に満た

された光り輝く自己自身であり、あるいはむしろ光そのものとなって、……神と化したというより、むしろすでに神であるところの自己自身なのである」〕

*53——Philon, *De opificio mundi*, c. 8 (ed. L. Cohn, 1889, S. 9).〔アレクサンドリアのフィロン『世界の創造』野町啓・田子多津子訳、教文館、二〇〇七年、一八頁。「不可視かつ可知的なかの光は、光の生成を宣言する（「光あれ」という）神のロゴスの似像(エイコーン)として生成した」。以下も参照。*Ibid.*, c. 17.「知性は可知的なものを、他方、目は可感的なものをそれぞれ見る。また知性は非物体的なものを知るために学知を必要とし、目は物体を把握するために光を必要とするが、この光は人間にとって、他の多くの善きものの原因であるのみならず、とりわけ最大の善きものである哲学の原因なのである」（同、二六頁）〕

*54——W. Theiler, *Die Vorbereitung des Neuplatonismus*, Berlin 1930, S. 50.

*55——サロモン・イブン・ガビロル（スコラ学名アヴィケブロン）『生命の泉』（*Fons vitae* IV, 31, ed. C. Baeumker, S. 254）に、その明示的な例が見られる。「質料に注ぎ込む光が、質料に優る他の光、すなわち能動的力の本質のうちにある光から注ぎ込まれることを疑うというのか。この光こそ、形相を可能態から現実的活動へと導く意志にほかならない」。モーセス・マイモニデス『迷える者たちの導き』（*Dux neutrorum* I, 72）では、最高の天球に発する動力に、光のメタファーが適用されている。

＊56――Philon, *De somniis* I, 13, 75 (ed. Cohn-Wendland).
＊57――Id., *De virtutibus* 22, 164.
＊58――Id., *De Cherubim* 28, 97.
＊59――Augustinus, *Contra Faustum Manichaeum* XXII, 8.
＊60――*Ibid.* XX, 7.
＊61――*Ibid.* XIII, 18.
＊62――Id., *Enarrationes in Psalmos* XXVI, 2, 3.〔アウグスティヌス『詩編注解』一、今義博ほか訳、『アウグスティヌス著作集』一八／一、一九九七年、二六七頁。「まことに、誰かによってもぎ取られるような救いを神は与えるのではない。もしそうでなければ、神は誰かによって暗くされうるような光であることになってしまう」〕
＊63――Id., *Sermones* CLXXXXII, 5.
＊64――Id., *Epistolae* CXL, 7.
＊65――*Ibid.* CXX, 10.「……不可視で、言語化もできないが、可知的な光である。それはわれわれにとって確実であり、それゆえにそのもの（光）によってわれわれが認識するすべてを、われわれにとって確実なものとなすのである」〔アウグスティヌス『書簡集』一、金子晴勇訳、『アウグスティヌス著作集』別巻一、二〇一三年、三六六頁〕。マニ教に傾

倒したときとは異なり、アウグスティヌスは新プラトン主義に対して行き過ぎた態度をとることがなかったため、光の形而上学における〔光と知性の〕差異を十分に明確に強調することはなかった（*De civitate dei* X, 2〔アウグスティヌス『神の国』二、茂泉昭男・野町啓訳、『アウグスティヌス著作集』一二、一九八二年、二九八頁〕）。そこで、たとえば「真なるものを見ることは、少数の人たちにしか（許されていない）」（*De diversis quaestionibus LXXXIII* q. 46）というように、きわめて新プラトン主義的・秘教的な用法を用いる場合ですら、これは確実性の由来についての考察なのであり、確実性の源泉の脱自的・神秘的観照が考えられているわけではない。

＊66——Id., *De Genesi ad litteram imperfectus liber* V, 24.「誰しもこれを光と呼んで差支えないだろう。なぜなら、それによって事物が顕わになるものは、光と呼ぶのが至当だからである。……それによってそれらの事物が顕わとなるこの光は、いずれにしても魂の内にある。そのように感じ取られるものが、身体を介してもたらされるものであるとしても」〔アウグスティヌス『未完の創世記逐語注解』片柳榮一訳、『アウグスティヌス著作集』一七、一九九九年、一七四頁〕。

＊67——J. Barion, *Plotin und Augustinus*, Berlin 1935, S. 152ff. とは見解が異なる。

＊68——Augustinus, *De Trinitate* XIV, 6, 8-7, 10.〔アウグスティヌス『三位一体』泉治典訳、『ア

ウグスティヌス著作集』二八、二〇〇四年、四〇八―四一八頁〕; *Confessiones* X, 20, 29-21, 30.〔『告白』二、山田晶訳、中央公論新社(中公文庫)、二〇一四年、二二七―二八三頁〕。〔訳註〕アウグスティヌスはここで、人間精神の「記憶・知解・意志〔愛〕」を三位一体の似像と理解したうえで、同一性を保持する能力として記憶を一段高く評価している。

*69――E. Gilson, *Introduction à l'étude de St. Augustine*, Paris 1929. Dt. Ausgabe [*Der heilige Augustin. Eine Einführung in seine Lehre*], Hellerau 1930, S. 399.

*70――Augustinus, *De beata vita* II, 8.〔アウグスティヌス『至福の生』清水正照訳、『アウグスティヌス著作集』一、一七三頁〕

*71――Id., *Epistolae* XI, 3.〔『書簡集』一、四四頁〕

*72――Id., *De Genesi ad litteram* IV, 33, 51.〔アウグスティヌス『創世記逐語注解』一、片柳榮一訳、『アウグスティヌス著作集』一六、一九九四年、一四四頁〕

*73――Platon, *Politeia* VII, 518A.〔プラトン『国家』、四九四頁〕

*74――暗闇が〔超越に向かい〕正しい道の指標となって神秘的・方法的役割を果たすということを最も巧みに語っているのは、おそらくニコラウス・クザーヌスである。彼の場合、これによって自らの形而上学の難解さを正当化する目的があった。「それは、太陽を視

ようとするのに似ている。正しい仕方で太陽に向き合うなら、あまりに鮮烈な太陽の光によって、人間の弱い視力には闇が現れるのである。太陽を視ようとする者にとってこの眩惑は、彼が正しい道を辿っていることの標になる。すなわち、かの過剰な明るさの光へと向かっていることになるのである」（一四五三年九月一四日、テーゲルンゼー修道院院長への手紙 [ed. E. Vansteenberghe, *Autour de la docte ignorance*, Münster 1915, n. 5, S. 113]）。こうした事情は、体系的に見て、「反対物の一致」というクザーヌスの形而上学に厳密に当てはまる。主体的な神秘経験の客体化を、クザーヌスはやすやすと一文に集約して語っている。「神は最大の意味で光であり、最小の意味で光である」（*De docta ignorantia* I, 4〔クザーヌス『学識ある無知』山田圭三訳、平凡社（平凡社ライブラリー）、一九九四年、二六頁〕）。この点は、中世神秘思想に先立って、擬ヘルメス文書『二十四人の賢者の書』においてすでに語られている。「神は、すべての光を放棄した魂のなかの闇である」（命題二一）。ボナヴェントゥラは、「眩惑は、最高の照明である」（*Collationes in Hexaemeron* XXII, 11）と述べている。クザーヌスの『知ある無知』には、これらの伝統全体が実に濃密に凝縮されている。

＊75――Plotinus, *Enneades* VI, 9, 10.「それはたとえば自分が自分のものでもなければ、また自分自身でもなくなって、他者となり、かの国の一員として登録されているようなもので

ある」〔プロティノス「善なるもの一なるもの」田中美知太郎訳、『プロティノス全集』四、五九三頁〕。

＊76——*Ibid.* I, 6, 9.〔プロティノス「美について」田之頭安彦訳、『プロティノス全集』一、二九八頁。「神や美を観ようとする者は、まず自らがまったく神のようなものとなり、美しい者となりきらなければならぬ。そのようになれば、彼は（感性界から）上の世界に昇ってきて、まず知性の領域にいたるだろう」〕; V, 5, 7.〔同「ヌースの対象はヌースの外にあるのではないこと、および善者について」水地宗明訳、『プロティノス全集』三『エネアデス（エネアスV）』、一九八七年、四八一頁。「目にしても時折は、外部の光も他者の光をも見ないで、外の光を見る前に、自己固有の、もっと輝きの強い一種の光を瞬間的に視ることがある」〕

＊77——Augustinus, *Enarrationes in Psalmos* XXV, 2, 14.〔アウグスティヌス『詩編注解』一、二五九頁。「実際、各人が闇の中にいるとすれば、目を開くことが何の益にもならないのと同様に、目が閉じられたならば、光の中にいることは何の益にもならない」〕

＊78——〔訳註〕Novalis, *Hymnen an die Nacht* 1.「夜がわれわれのうちに開いた無限の目は、あの煌めく星々よりも神々しく思われる」（ノヴァーリス『夜の讃歌』今泉文子訳、『ノヴァーリス作品集』三、筑摩書房（ちくま学芸文庫）、二〇〇七年、一一頁）。

*79——H. Diels, W. Kranz, *op. cit.*, 22 [Herakleitos], B 101a.〔『ソクラテス以前哲学者断片集』第I分冊、三三八頁〕。ディールスが言及している類似の引用文も参照。

*80——Philon, *De fuga et inventione* 208.「見ることこそ過たぬものであり、存在はそれによって正しく把握される」。〔訳註〕「創世記」(一六・六以下)の女奴隷ハガルの逃亡と神・天使による彼女の発見の挿話が下敷きになっている。

*81——Cf. H. Leisegang, *Der heilige Geist* I, Leipzig 1919, S. 215.

*82——*Ibid.*, S. 219ff.

*83——Art. ἀκούω〔項目「聞く」〕(G. Kittel), in: *Theologisches Wörterbuch zum Neuen Testament* I, 216ff. 以下の議論の典拠はすべてこの文献に挙げられている。

*84——Augustinus, *De ordine* IX, 29.「学ぶためには、権威と理性の二つの仕方で導かれる必要がある」〔アウグスティヌス『秩序』清水正照訳、『アウグスティヌス著作集』一、二八九頁〕。

*85——Cf. H. Jonas, The Nobility of Sight. A Study in the Phenomenology of the Senses, in: *Philosophy and Phenomenological Research* XIV, 4 (1954), pp. 507-519. さらに以下も参照。H. Lipps, *Die menschliche Natur*, Frankfurt a. M. 1941, S. 25ff., S. 76ff.

*86——人文学者メランヒトン(一四九七—一五六〇年)が、聴覚を中心とした言説からふたた

び視覚を中心とした言説へと立ち返っているのは、そのような事情を表している。「何らかの光があれば、言葉によるよりも正しく見ることができる。見て取られるそうした明るさこそ、すべてを露わにするものであるが、それと同じく、われわれの心のなかに、かの露わな明るみ、光があるのだ」(P. Melanchthon, *Commentarius in Genesin* c. 1 [Corpus reformatorum XIII, Sp. 767])。

＊87――[I. Kant, *Kritik der praktischen Vernunft* 1, 1, 1, 8, Anm. 2.〔カント『実践理性批判』、八二頁〕]。Cf. H. Blumenberg, Ist eine philosophische Ethik gegenwärtig möglich?, in: *Studium Generale* 6 (1953), S. 179.

＊88――M. T. Cicero, *Tusculanae disputationes* I, 5.〔キケロ『トゥスクルム荘対談集』、八頁〕

＊89――Id., *De natura deorum* I, 5, 11.〔同『神々の本性について』、一一頁〕

＊90――G. Vico, *Scienza nuova* IV, 14, 2.〔ヴィーコ『新しい学』下、上村忠男訳、中央公論新社(中公文庫)、二〇一八年、四四二頁〕

＊91――〔訳註〕A. de Tocqueville, *Démocratie en Amérique*.「社会状態と法律、思想と人々の感情に生じている革命はなお終結に程遠いとはいえ、すでにしてその帰結は世界にこれまでに見られたいかなるものとも比較しがたいであろう。世紀から世紀へと古代の最も遠い時代まで遡っても、いま眼前に見ている事態に似たものは何一つ認められない。過去

はもはや未来を照らさず、精神は闇の中を進んでいる」(トックヴィル『アメリカのデモクラシー』第二巻下、松本礼二訳、岩波書店(岩波文庫)、二〇〇八年、二七七―二七八頁)。

＊92――Ibn Gabirol, *Fons vitae* IV, 14.

＊93――Albertus Magnus, *De causis et processu universitatis a prima causa* I, 1, c. 1.

＊94――Thomas Aquinas, *Scriptum super libros Sententiarum* II dist. 13 q. 1 a. 2.

＊95――Bonaventura, *Commentaria in quatuor libros Sententiarum* II dist. 12 a. 2 q. 1 arg. 4.

＊96――*Ibid.* I, dist. 1 a. 3 q. 2 concl. 面白いことに、光の隠喩法に由来するこうした表現が、ルターにおいてふたたび用いられている(Werke, Weimar, IX, 103)。ここでルターは、それを「神の言葉」と関係づけ、それによって「傾聴」の絶対的な親密性を強調している。

＊97――Bonaventura, *Itinerarium mentis in deum* II, 9.〔ボナヴェントゥラ『魂の神への道程』長倉久子訳・註解、創文社、一九九三年、三〇頁〕

＊98――Id., *Commentaria in quatuor libros Sententiarum* II dist. 39 a. 1 q. 2 concl.

＊99――*Ibid.* I, dist. 3 p. 2 a. 2 q. 2 concl. ここで重要なのは、古代の伝統以来、「存在を曇らせるもの」と断じられていた感情が、積極的な評価に転じ、「解明する」機能を獲得した点

である。積極的に評価された感情についての理説が光の隠喩法と結びついたことは、(擬)ヴィテロの『知性論』(*Liber de intelligentiis*, ed. C. Baeumker [in: *Miscellanea Francesco Ehrle*, 1924]) からも明確に窺える。この場合、「愛」(amor) と「喜悦」(delectatio) は、存在の光輝に対する魂の最初の「応答」のようなものである。この愛と喜悦によって、「認識しうる対象に向かう主体の認識意欲」が生じる。この意欲なくしては、対象に対する眼差しが開かれることはないため、これはあらゆる知的「作用」に先行する「このようなもの〔主体〕とこれ〔対象〕との関係づけ」なのである (prop. XVIII)。

＊100——Cf. E. Gilson, Avicenne et le point de départ de Duns Scot, in: *Archives d'histoire doctrinale et littéraire du moyen-âge* II (1927), pp. 116s.

＊101——N. Cusanus, *De apice theoriae* [5].〔クザーヌス『観想の極致について』坂本尭訳、『キリスト教神秘主義著作集』一〇「クザーヌス」教文館、二〇〇〇年、二〇頁〕

＊102——F. Bacon, *Novum organum* I, 49.〔ベーコン『ノヴム・オルガヌム』、九〇頁〕。Cf. I, 56〔同、九五頁〕では「古代の讃美」と「近代への愛好」それぞれの知的態度の相違が確認され、さらに次のように述べられる。「とはいえ真理は、そのときどきで変わる時代の運に左右されるものではなく、恒久なる自然と実験の光によって追求されるべきである」。

＊103――*Ibid*. I, 49.「人間の知性は無味乾燥な光などではなく、意志と感情によって潤いを注がれたものである」〔同、九〇頁〕。

＊104――Carolus Bovillus, *Liber de sapiente* (ed. R. Klibansky) c. 51 [cf. E. Cassirer, *Individuum und Kosmos in der Philosophie der Renaissance*, Leibzig/Berlin 1927, S. 411]. ボウィルス（一四七五頃―一五六六年以降）のこのような表現は、アリストテレスが「知性（ヌース）」のもつ能動・受動の二面性を「光」としてイメージしている（*De anima* III, 5, 430a14-17〔『心とは何か』桑子敏雄訳、講談社（講談社学術文庫）、一九九九年、一六四頁〕）のとは無関係である。アリストテレスのいう「知性」は純粋に宇宙的なものであり、認識活動の際にただ「外部から」人間の魂に結びつくにすぎない。それゆえ光の「方向」は、外から内へと向かっている。しかしこの方向の逆転にこそ、ボウィルスの決定的な新しさがある。

＊105――Bovillus, *Liber de sapiente* c. 19.

＊106――「世界はすべてであるにしても、自らは何ものをも知ることがない。人間はことさら貧しく、無に等しいが、宇宙のすべてを知っている」（*ibid*. [cf. E. Cassirer, *op. cit*., S. 342]）。

＊107――〔訳註〕*Ibid*. [cf. E. Cassirer, *op. cit*., S. 343]

＊108——こうした移行は、同時代のニュアンスを含めて、とりわけパスカル（一六二三—六二年）の言葉に見られる。Fragment 337 (ed. L. Brunschvicg).「ある新しい光によって、……異なった優れた光によって、……人々が光をもつに応じて」〔由木康訳、白水社、一九九〇年、一四〇頁〕。論考「幾何学的精神について」の最初の断章によれば、「自然の光」は人間精神の限界であると同時に基礎でもある。あらゆる前提を論証しようとする要求に対しては限界となるが、そうした限定にもかかわらず可能になる厳密な論証にとっては基礎なのである〔「幾何学的精神について」前田陽一ほか訳、『パスカル全集』一、人文書院、一九五九年、一二〇頁〕。

＊109——G. Galilei, *Dialogo* IV, Opere I, ed. E. Albèri.〔ガリレオ・ガリレイ『天文対話』下、青木靖三訳、岩波書店（岩波文庫）、一九六一年、一九八頁〕。このような根本的見解を、肯定的に評価された「単純さ」と結びつけ、遺憾なく表現した稀有な事例が、アリストテレスの『形而上学』冒頭の解釈である十三世紀のアエギディウス・ア・レティニス（レシーヌのエギディウス）『利子論』に見られる。「(真理を) 心より真に熱望し、単純な心をもって追求するなら、真理は自身を露わにするだろう」（以下による引用。M. Grabmann, *Mittelalterliches Geistesleben* II, Müünchen 1936, S. 522)。

＊110——Jean Le Rond d'Alembert, *Discours Préliminaire de l'Encyclopédie* (éd. F. Picavet).「学問

と芸術の諸原理も見失われていた。というのは、いたるところで人々にその姿を現しているように見える美と真理も、あらためて注意をうながされるのでなければ、人々の眼にはほとんど入らないのである」〔『百科全書』桑原武夫訳編、岩波書店（岩波文庫）、一九七一年、ダランベール「序文」、八三頁〕

＊111――〔訳註〕同、二〇頁。

＊112――〔訳註〕同、四〇頁。

＊113――「真理らしさ」（verisimile）の意味の変遷に現れる両義性を示すには、「蓋然性」の概念史に関する特別な考察が必要である。「真理らしさ」（Wahrscheinlichkeit）の「らしく見える」（Schein）は、もともとは真理の「近く」にあることが反映する輝きのことである（本書註＊22参照）。このような意味での「真理らしさ」は、デカルトには容認しがたい形而上学的前提に立っていた。デカルトにとって「らしく見える」ことは錯誤を起こすものであり、「真理らしさ〔蓋然性〕」とは、ただ真理のように見えるだけで、それゆえ方法によって徹底的に排除されなければならないものであった。対象は「明晰・判明な知覚」によって確かめられるまでは、真理に関しては確定されない。「（明晰・判明に）知覚することなく何らかの見解に同意するなら、われわれは誤るか、たまたま真理に嵌りこむかのどちらかであるのは確実なのだ」（*Principia philosophiae* I, 44〔デカ

ルト『哲学原理』桂寿一訳、岩波書店〔岩波文庫〕、一九六四年、六四頁〕)。「たまたま真理に嵌りこむ」などというのは、以前なら思いもよらず考えもつかない発想である。こうした発想にあっては、真理の隠喩法の伝統はすっかり消え去ってしまう。いまいましい「たまたま」は、「方法」によって手中に収められ、意のままに操作されるようになるのである。

*114——〔訳註〕『百科全書』、三九—四〇頁。

*115——Cf. H. Blumenberg, Philosophischer Ursprung und philosophische Kritik des Begriffs der wissenschaftlichen Methode, in: *Studium Generale* 5 (1952), S. 133-142.

*116——今日では「光技術」という言葉は、灯光や「照明」に限定せずにもちいられ、光が鋼鉄やコンクリートと同じ「建築資材」とみなされている。Cf. W. Köhler, W. Luckhardt, *Lichtarchitektur*, Berlin 1956.

*117——それが真理の源泉になったのかという点に関しては、以下で論じられている。W. Wagner, Versuch zur Kritik der Sinne, in: *Studium Generale* 4 (1951), S. 265ff.

*118——Gottfried Benn, *Gesammelte Gedichte*, Zürich 1956, S. 98.

コペルニクス的転回と宇宙における人間の位置づけ

——自然科学と精神史との関連に即して

十七世紀初頭のこと、アリストテレス思想を支持してパドヴァで教授活動をしていた人文学者チェーザレ・クレモニーニ（一五五〇／五二―一六三一年）の逸話だが、彼は自分の友人ガリレオ・ガリレイ（一五六四―一六四二年）が発明した望遠鏡で天界を観察するのを拒否したという。クレモニーニは、たとえば木星の衛星を見て、伝統的な世界像が掻き乱されるのを望まなかったのである。[*1]

新たに成立しつつあった自然科学の観点からすれば、経験で確かめられる事実に怯（ひる）んで、それに目をつぶってしまうのは許しがたい態度であった。ガリレイの望遠鏡によって始まった後世の研究の進展を経た今になってはじめて、こうした拒絶の態度にある種の正統性が認められる。もちろんそれは、科学的認識とは別の次元での正統性ということにはなる。[*2]その拒絶が引き起こす復古的な帰結に共感しないまでも、中世の有限で完結した整然たる世界像を放棄するにはどれほどの思い切りを要したかは理解することができるからである。

古代に由来する宇宙論的空間把握（トポグラフィー）では、人間は宇宙の中心の位置を占め、その宇宙の確たる構造によって、世界創造のなかで自身の置かれた地位がしっかりと保証されているとの意識をもっていた。コペルニクス（一四七三―一五四三年）の世界体系を受け容れるということは、一貫性や体系性の点で古い「世界像」と比較しうる何らかの新たな「世界像」を試してみたり、ただある宇宙論的地位を別の宇宙論的地位と交換してみたりするのとは訳が違っていた。コペルニクスの世界体系の受容とは、まったく不安定で、すでに無限なものとみなされた空間を開くことであった。その無限の空間にあっては、「方位確定」の課題はほぼ解決不能であり、次々と果てしなく問題が立ち現れることになった。人文主義者クレモニーニがその帰結を予感していたかどうかはともかくとして、望遠鏡を覗くことを断ったとき、彼は「学知（スキエンティア）」と「知恵（サピエンティア）」、学問と知慮の葛藤に直面し、知恵の側に軍配を上げていたことになる。人間にとって必要な真理、人間が安んじて依拠することができるような真理は、この「知恵」によって獲得されるものと信じたというわけである。

しかし実際には、ガリレイの時代では、学知と知恵のどちらを採るかはもはや選択の余地はなかった。科学に対する形而上学者たちの抵抗は孤立した試みであり[*3]、同時代の人々は新たな世界観を受容するのに熱心であった。[*4] ガリレイは、コペルニクス的転回を経験的に裏づける事実を発見したというより（厳密な意味でそれを成し遂げたのは、一八三六年に恒星の視差を発見したベッセル〔一七八四―一八四六年〕である）、コペルニクス的転回に結実する時代の内的な熱望（パトス）に根拠を与えたということになる。では、当時の同時代の人々が、コペルニクス的転回によって人間を宇宙の中心の座から追放することを、あたかも解放に繋がるかのように熱狂的に歓迎したのはなぜなのだろうか。このような矛盾する事態を理解するために、地球中心的世界観と人間中心的世界観が、人間の自己理解・世界理解にとってどういう意味をもっていたのかを検討しなければならない。

はじめに確認しておくが、宇宙のうちで地球が中心の位置にあるとする天文学的言明は、中心という位置が宇宙のなかで最重要であるとか、そこに居住する人間が特別な地位を占めているといったことを意味しない。たとえばアリストテレスの場合、地球が万物の中心であるのは、ただもっぱら、地球が〔火・空気・水・土の四元素のなかで〕最下位の元素〔土〕から成り立っており、その自然本性的な場所は宇宙の最下層にあり、崇高なる天体からは最も離れているという理由にもとづいている。アリストテレス的な世界では、中心の地位は最も価値の低いものである。やがてガリレイは敵対者のスコラ学者たちに反論する際に、この点に狙いを定め、人間の住まう場所である地球を、下位の層から天体の位置にまで「格上げ」した。[*5] アリストテレスは、有機的生命のごく限られた領域においてのみ、有機的生命の全領域が人間の便宜のためにあるという目的論的に中心的な地位を、人間に対して認めていた。自然は、何ひとつ目的もなく無益になすことがない以上、その本質からして、有機的自然は人間のために出現したということになる。[*6] だが、このような局所的な人間中心的目的論は、宇宙全体にとっては意味をもたない。ストア派の哲学においてはじめて事情が変わり、世界が「最も完璧な存在」であり、すみずみまで意味のある統一体とみなされ、すべてが人間のために作られ、知性の担い手である人間に関連づけられる。[*7]

いまだ古代的思考の名残りをとどめるこうした思考の道筋は、聖書的・キリスト教的創造概念によってさらに本質的な重要性を獲得する。神は世界を人間のために整えたとする思考は、教父思想の根本的な遺産である。[*8] アウグスティヌス（三五四―四三〇年）は『八三問題集』において〕、「一切は人間の役に立つように創造されたのではないか」[*9] という問題を明確に掲げ、「使用（ウティ）〔役立てる〕」と「享受（フルイ）」、有用性と充足の根本的区別によって答えている。そしてこの区別は、中世的人間の世界理解によって決定的な意味をもつにいたる。純粋な「使用可能性（ウティリタス）〔有用性〕」とは、神の配慮そのものである。人間の知性は、自然界の事物を正しく使用することによって、神の創造の計画を露わにする。その場合、自然界の事物を人間の尊厳に服させるために、何ら技術的な強制は必要ではない。アウグスティヌスがキケロ（前一〇六―四三年）を思わせる一文――「作られたものの一切はそれゆえ、人間の役に立つように作られている」――でこの問題への解答を締め括っているのは印象的である。宇宙のなかでの地球と人間の中心的位置は、神がこの場所に受肉し、それによって世界の救いが与えられたとの信仰によって、最終的で絶対的な意味を得る。[*10] 救いに定められ、選ばれた人間こそが、宇宙の中心であり、創造の意味の集約点なのである。このことは、中世の盛期スコラ学において、フランシスコ会士ドゥンス・スコトゥス（一二六五／六六―一三〇八年）がこう表現している。「神は彼ら〔救済を予定された人々〕のために、より遠く離れた他のもの、たとえばこの感覚的世界が彼らに仕えることを望む。……したがって神は、感覚的世界が救済を予定された人々に役立つことを望んでいる。……人間は感覚的世界の目的といえるだろう[*11]」。

しかしこのスコラ学的言明は、教父によって受容されたストア派の目的論的世界の定説を本質的に変更してしまっている。スコトゥスの主張はもはや、認識可能な秩序全体に関する客観的な宇宙論の確定には結びつかない。ここで目的論の原理となっているのは、神の救済の隠れた意図だからである。この目的論はなるほど経験的な世界を別の観点から観察することを可能にするが、それは経験的なデータから読み取れるものではない。こうして、霊的世界の構造と物質的宇宙の構造との乖離が始まる。総じて目的論の動機は、教父が継承したストア派の目的論的世界が敷いた路線をまっすぐに進むものではない。もし世界の創造が、ことごとく人間のために整えられ、人間を配慮しているのだとしたら、なぜ神は「楽園」というかたちで、最初の人間アダムにとって快適な場所をわざわざ設えたのだろうか。トマス・アクィナス（一二二四／二五―七四年）は、「無垢の状態における人間にふさわしい支配について」[*12]〔『神学大全』第一部第九六問〕明確に論じ、人間が自然を支配する際には、何らかの強制や、技術のような人為的な介入を必要とせず、自然は自ら進んで、いわば「おのずと」人間の意思に従ったと考えている。[*13] しかしこのことは、原初的な無垢の状態にして、「人間に適合する場所」[*14]である楽園にのみ当てはまる。この楽園の地からの追放は、不毛で見知らぬ世界へ放り出されることであり、人間がその世界で生きるには、生存競争に明け暮れることが必要となる。神学において罪の概念が鋭く強調されればされるほど、その原初状態からの失楽園はますます過酷なものとなり、楽園の目的論と敵だらけの現実の生存との対比は熾烈なものとなる。こうして現実の世界では、人間はいやでも労働を余儀なくされる。加えて〔キリスト教の〕摂理の思想も、ストア派の「摂理(プロウィデンティア)」との類似性を失ってしまう。なぜならキリスト教の場合に神は、人間が救済に対立する現世の「ただなかを」歩むよう追い立て、誘惑を仕掛けるにもかかわらず、人間を「そこから」救い上げることで、人間が自らの使命を実現するように仕向けるからである。ここではグノーシス主義の思想の痕跡が伺える。グノーシス主義では、世界制作神(デミウルゴス)と、新約聖書の善なる父神(パーテル)を分離する考え[*15]が根底に働いているからである[*16]。

このような神学では、宇宙のなかで人間の居住地が中心的な位置にあるという宇宙論的見解は重要な意味をもたない。宇宙の構造から、人間にとって有意味な結論を引き出すことはできなかった。中世末期の唯名論が、そのような展開を強力かつ先鋭に推し進めた。唯名論の神概念は、神の自由と全能を極端に強調することを第一の特徴とする。世界創造の始まりは、純粋な恣意である。いかなる「動機」も神の「絶対的権能（ポテンティア・アブソルタ）」を縛ることはできない。そして人間はいかに努力しようとも、世界が人間の、利になるか害になるか、救済の可否についてはまったくの無力である。したがってここでは、中世の世界観におけるアリストテレス的基盤が反駁される。とりわけ、アリストテレスの形而上学での「目的因」の思想、およびそれに追従するスコラ学の意義が失われるのである。ある存在者が宇宙の全構造のなかに置かれた「場所」から、その形而上学的な位置づけを推測することは意味がなくなった。[*17] 言い換えれば、宇宙とはもはや秩序ではなく、「調和世界（コスモス）」ではないということになる。もし神の全能を制限するのが、ただ矛盾律だけだとするなら、神は無限の宇宙を創造し、地球はそのなかの辺境の片隅にすぎないということもありうるだろうし、十三世紀にガンのヘンリクス（一二九三年歿）がはじめて提案したように、複数の宇宙が存在するという可能性も許容されることになるだろう。[*18] 神の「絶対的権能」の中心的な神学体系は、人間の理性的洞察を理論的に神の制作物〔被造物〕へとそのまま転用するような、伝統的な自然学および形而上学の思考に疑念を呈したのである。哲学の世界像と、創造の自由という神学的概念のあいだの葛藤によって、人間は現実に対してこれまでとは異なった態度を取るように強いられた。人間は、存在者が実際にどのような仕方で存在するのかを知るためには、存在しているものを注視しなければならない。経験がここでおのずとその権利を獲得する。とはいえ経験は、事物が「いかに」存在するかという〔自然学上の〕「小さな」疑問に向かうのであり、事物が「なぜ」存在するのかという〔形而上学的な〕大きな疑問を断念することになる。

こうなるともはや、世界は人間のために創造され、人間には世界のなかで特別な場所が用意されたと想定する権利は何もなくなってしまう。人間が宇宙のどの場所に居住しているかはまったくどうでもよいことになる。人間がそもそも中心ではない以上、人間が居住する場所も、宇宙のなかの中心とみなすことは理由がなくなる。コペルニクスが成し遂げた宇宙論的変革は、ただこのような状況の総仕上げにすぎなかったため、それは「平然と」[19]迎え入れられた。この場合、唯名論学派の宇宙論的成果そのものは二次的な意味しかもたなかった。唯名論学派の成果は、アリストテレス的な自然学の基盤を一貫して保ち続けており、ただ地球の中心と宇宙の中心との厳密な同一視を緩めるなどして、あまりに強固な結論にいたるのを多少「和らげる」程度であった。[20]彼らが多かれ少なかれ、コペルニクスの「先駆者」の役割を果たしたのは確かだが、コペルニクス的転回にまつわる決定的な現象を説明することはできない。何しろそれはその時代に、平然と受け容れられるどころか、積極的に「同意」されたからである。加えて、コペルニクス自身は、唯名論の潮流の影響からは完全に外れていたし、彼の先駆者を自認する人々とも無縁であった。[*21] コペルニクスは「改革者」を気取ってはいない。教皇パウルス三世（在位一五三四―四九年）に宛てた序文からも読み取れるように、コペルニクスは自身の理論の新しさを自覚しているものの、表面的な観察だけでは疑わしい結論しか得られないとみなし、古い前提から最終的に「然るべき」結論を引き出すのが何より肝心だと考えていた。その点では、コペルニクスは自らが伝統的天文学に対する改革者であると認めていたが、そのときにも人文主義の流儀にならい、古代の権威を引き合いに出しているのである。これが単に保守的な自己演出ではないというのは、彼が拠って立っていた前提を吟味することでただちに明らかになる。コペルニクスが構築した新たな世界機構は、目的論の原理を用いなければまったく考えられないものである。彼は世界を「最も優れて精妙な制作者によってわれわれのために造られたもの」[*22] と明言するところから出発している。まさにこの基本原則ゆえに、天体運動の「規則性」と「均衡性」が維持されねばならない。コペルニクスが用いている秩序理解は、仮説を構想する人間の理性の内的法則であるだけでなく、万物そのものの構築法則なのである。この万物の法則が人間の理性を満足させるところから、世界はまさしく「われわれのために造られた」ことが明らかになる。天体の運動は「それ自体で」規則的に違いないが、宇宙の中心から外れた人間の位置からは、見かけの上で不規則に「見える」[*23]。——コペルニクスは理性的・目的論的な人間中心主義〔宇宙を理解する理性の中心的役割〕を優先するがゆえに、宇宙論的な人間中心主義〔宇宙における人間の中心的位置〕を放棄するのである。自然の叡智は人間の理性と合致する[*24]。新たな天文学の初期段階で起こったことを歴史的に一貫して捉えようとするなら、伝統に対する本来の、そしてほぼ唯一の「転換」は、一六〇九年にケプラー（一五七一―一六三〇年）が惑星運動の楕円軌道を提唱し、厳密な円運動から離れたところに認められる。これこそが紛れもなく、形而上学的前提に対する最も大胆な断絶だったのである。

自身が成し遂げた世界像の変更が人間の自己理解の変容の宣言とならざるをえないということに、コペルニクスはけっして思いいたらなかったに違いない。純粋にコペルニクスの思想が拠って立つ基盤そのものを見るなら、新たな天文体系は、新たな時代精神の成立に決定的に関与する点は何もない。コペルニクスその人がどのように訴えようとも、宇宙における地球中心主義〔天動説〕の放棄は、目的論的な人間中心主義を揺るがす力はもたなかった。歴史的な関係はその逆である。すでに流布していた新たな自己意識の側が、新たな世界体系のうちに、決定的な確証を見出したのであった。この新たな自己意識はやや意外な結論によって理解される。宇宙は人間のために造られたのではないという主張——唯名論の思想運動の本質が現れた主張——は、否定や失望をもたらしたのではなく、むしろ勝利や昇格の意味をもったという結論である。この経緯（いきさつ）が腑に落ちるなら、コペルニクス的転換が近代的意識の形成にとってどのような役割を果たしたかが理解できるだろう。

世界を創造した神はその善性と知恵を人間のために行使されたという信仰ゆえに、中世の人間は、自らを世界の中心と考えることができた。人間の認識能力は、遡れば、存在者に対応した開放性や受容性が理性に具わっていることに起因する。人間は事物に対して、自らにふさわしく、「調和（コンウェニエンティア）」にもとづく「価値」を認めることができた。そして自然の美こそ、自然が人間に合わせて与えられていることの直接の表現と受け取られた。存在全体を普遍的に包括するこうした諸特性どうしの内的関係は、「超越範疇」〔真・善・美など〕、およびその互換性〔「真は美である」、「善は真である」など〕というスコラ学の理論によって展開された。[*25] しかしこのように世界が意味づけられるということはまた、人間が現実の存在や既存の自然的秩序に「拘束」されるという独特の性格を含んでいる。一言でいえば、人間は神によって基礎づけられた状態を「受け容れる」よりほかになかったのである。唯名論はこうした「意味連関」を破壊し、自然が神の独白(モノローグ)であり、世界と人間は互いに関係がなく、根拠のない偶然に委ねられているとみなすことを可能にした。このような可能性を「考慮」しつつも、それに逆らって自己確立と自己主張を果たし、そこに生じた実存の不安を解消するのが、新たな時代の根本的な衝動となった。こうして、確実な認識や、それにもとづく自然支配のうちでのみ得られる保証が何よりも肝心となる。こうした状況の決定的な帰結は、「世界は人間のために造られたのではない」という命題を、「世界はまだ人間のために造られてはいない」という意味に転換することであった。このように創造の進行があからさまに延長されることで、神の創造行為は、「運動する物質が成立した創造の第一日目[*26]」に限定されることになった。こうなると、人間に「あらかじめ与えられている」ものは、最小限の拘束のみであり、進歩や形成意欲が介入するための純粋な素材、すなわち原材料だけとなる。この原材料が、技術的な関与を促し、新時代の改変能力を誘い出すともいえるだろう。こうして世界は自由にとっての「制限」ではなく、もっぱら「可能性」を提供する。自分こそが究極の始まりであり、認識の点でも行為の点でも何ら「受容」すべきものは存在しない。そうした意識が、近代の開始の根本的な精神的営為の特徴、「無前提性」の動機（パトス）を高めていく。押しつけられた現実の拘束にもはや縛られない〔自由な〕人間の意志によってこそ、「世界」といったものが成立する。それゆえ人間こそが世界の中心であり、所有者なのだ。コペルニクスは宇宙論のなかでは人間を中心から追いやったが、人間は自己を自らの世界の中心に据えることで、その埋め合わせを果たすのである。

一人称の所有代名詞が誇らしげに使われるというのも、この意識の変化を顕著に表している。すでに十五世紀半ばに、人文主義者ジャンノッツォ・マネッティ（一三九六―一四五九年）がこう記している。「実際、われわれによって見分けられるものすべて、つまりすべての家宅、城塞、町村、要するにすべての地上の建造物は、人間によって作り出されたものであるがゆえに、われわれのもの、つまり人間のものである。絵画や彫刻、技術や学問、……そして知恵も、われわれのものである。あらゆる発明や企画、われわれが知るあらゆる種類の相異なる言語や文学は……われわれのものであって、われわれはそれらの欠くべからざる有用性を考えれば考えるほど、いよいよ強く驚嘆し、呆然とせざるをえない」[*27]。文化的世界とは、人間が未知の領域である自然を素材としてそこから練り上げた人間世界であり、自然と対立させ、確立した人間の世界にほかならない。人間はその意識を、この自己自身の世界から引き出し、そこに結びつける。アダムがプロメテウスとなるのだ。存在への覚醒を恩寵として受容した被造物〔人間〕は、素材として自らに委ねられた世界を自身のイメージに従って造形する世界制作神(デミウルゴス)となる。システィーナ礼拝堂の著名な天井フレスコ画〔「天地創造」〕でミケランジェロ（一四七五―一五六四年）が描いたのは、この光景のように思える。年長の同時代人、ピコ・デッラ・ミランドラ（一四六三―九四年）の文章では、神が人間にこう語りかける。「アダムよ、われわれは定まった座も、固有の姿形も、特別ないかなる贈物も、お前に与えはしなかった。それというのも、お前の願い、お前の意向に従って、お前が自分で選ぶその座、その姿形、その贈物を、お前自身が手に入れ、所有せんがためである。他のものたちの限定された本性は、われわれによって規定された法のなかに制限されている。お前は、いかなる束縛によっても制限されず、その手のなかに私がお前を置いたお前の自由意思に従って、自分自身に対して自分の本性を設定するであろう。世界のなかにあるものすべてを、いっそう都合よくお前がそこから見回せるように、私はお前を世界の中心に置いた。われわれはお前を、天のものとも地のものとも、死すべきものとも不死なるものとも造らなかった。それというのもお前が、あたかも自由意思をもつ名誉ある造り主であり形成者であるかのように、自分の選り好んだどんな姿形にでも自分自身を形づくりえんがためにである……」[28]。とはいえこの一節では、人間に自力の自由を与えたのはやはり神となっている。プロメテウスは、こうしたアダムの姿から脱却し、自らの世界の所有権は何の制約も受けないと反抗的に宣言する。「この大地は俺のものだ。／お前の干渉は許さぬ。／お前が建てたのではないこの家／またそこに燃える火ゆえに／お前が俺を嫉視するこの竈にも／一指たりとも触れてはならぬ[29]」〔ゲーテ「プロメテウス」〕。

世界が人間のために造られたのか、あるいは神の独白(モノローグ)の意を汲むことはできるのだろうかという問題に人間が関心を払わなくなるとともに、自然現象の目的、すなわち「目的因」への問いは、認識の課題として基盤を失うことになる。認識の決定的な要因は、もはや認識の内容ではなく、認識の結果である。重要なのは、もはや事物の意味ではなく、認識の意味である。事物が何のために存在するのかをもはや認識によって探り出せないとしても、事物から何を取り出し何を作るか、事物を意志の目的のもとにいかに服させるかを見定めることはできる。新たな科学の理想である「客観性」とは、本質的に、認識から目的論のカテゴリーを排除することを意味する。しかしさらに重要なのは、認識を人間のために有用なものとするという点である。真理は、「自然性」[30]と呼べるような性質を喪失する。無差別性という深淵を越えて、人間は自然の秘密への突破口を切り開く。さまざまな力や方法や器具を動員しなければならないというのは、自然が人間に自らの秘密を「自発的に」打ち明けたがっているわけではないことの証である。人間の精神はもはや真理との「親和性」をもっていない。[31] 宇宙のなかでの人間の脱中心的な位置は、すでにコペルニクスにおいて暗示されていたように、存在と現象との分裂を表している。感覚は、慎重に査定しながら用いられなくてはならない〔認識の〕道具となる。だからといってこれは否定的な評価を意味しない。なぜならこれによって人間の精神は、世界の脱中心的な位置に置かれた偶然性をいわば「中立化」するという独自の仕方で、自律的な「効果」を果たすにいたるからである。認識の「客観性」とは、立脚点そのものの排除である。新たな科学的方法とは、その成果を世界のいかなる場所においても再現できることを前提とする。より高度な客観性への進歩とは、自身の認識が立脚点に制約されていることを一つひとつ発見していくところにある。そして最終的には、方法の理念的な極限値として、立脚点による制約を残らず廃棄することを目指すのである。古典物理学に対する相対性理論の進歩は、やはり立脚点による制約を発見したところにある。古典物理学は、静止した観察者による経験の叙述にすぎないことが明らかになる。さらに物理学的客観性とは、あらゆるデータに、帰属するシステム内での位置が指標（インデクス）として付されることで、立脚点による制約がすべて「中立化」されることを意味する。*32

この方向をさらに普遍的に推し進めた、近代の精神史の「到達点」といえるものを挙げるなら、エトムント・フッサール（一八五九―一九三八年）の現象学的方法において、立脚点の中立化が行われたことがそれに当たる。フッサールが導入した現象学的還元とは、無世界的な主観の獲得を目指すものであり、その主観は「純粋」で、現実には見出しえない自我である。世界による世界内での制約はすべて方法的に摘出され、括弧入れされる。ここで肝心なのは、いわゆる「主観性」とは異なり、あらゆる客観性の絶対的な基盤となる主観であるということもできよう。そこにいたるための手段が「自由変更」であった。この自由変更とは、考察している主観の現実的な立脚点を消去し、対象のあらゆる任意の側面へと自らを実験的に移し入れるものである。「任意の位置を取ることができる純粋意識」において獲得された自由は、所与の現実からの束縛を解消し、「思考可能性の領域」を活動の場とする。[*33]

しかしながら、立脚点の中立化とは、立脚点に対する意識を前提とし、その意識をますます研ぎ澄ましていくものでもある。現象学的還元のその後の展開は、それを裏づけるように、われわれのよく知る思考様式（パラダイム）へ向かった。フッサールの影響のなかで大きかったのは、「世界の無化の残余」、究極的な客観化の源泉としての無世界的な主観ではなく、むしろ還元され、括弧に入れられたはずの「世界‐内‐存在」、つまり歴史的・事実的所在と結びついた主観であり、その歴史的・事実的主観を大胆に復権したのが、まさしくハイデガー（一八八九―一九七六年）であった。客観性という近代的理念の歴史に照らしてみるなら、厳密科学の圧倒的な展開と並行して、この〔ハイデガー的〕思考様式は、「歴史主義」に代表される歴史意識の興隆にその相関物を見出すことができるが、それはまさしく、主観を中心として形成された閉じた「世界」のイメージにほかならない。

こうしてわれわれは、主観性と客観性の乖離といった、近代の歴史の基本的動向とされるものの根元に触れていることになる。「主観性と客観性の乖離」というこの表現で表されるものをより明瞭に理解するには、またしてもコペルニクスによる転回から出発するのが良策だろう。コペルニクスは地球中心的世界観を太陽中心的世界観によって塗り替えた。しかし太陽中心的世界観が通用するのも、ほんの一時的なことである。そこからの真の帰結は、無中心的な無限宇宙であり、どの場所ももはや特別な地位をもつことのない宇宙である。こうした世界観は客観性の理念から生じ、それに対応している。彼岸のイメージを剝脱された近代の人間が、自らの理論的思考力と実践的活動力の一切をこうした世界の領域に集中させたというのは間違いがない。しかしこの領域では、無中心的な均質化にもとづいて、言葉通りに、「優劣をもたない均等性」（Gleichgültigkeit）といった現象が生じるのもまた事実である。厳密科学は、その対象に価値の優劣があるという「前提」を容認しない。科学にとっては、「些細な」問題も、「重大な」問題も違いがない。人間といえども、そのほかの対象よりも「重要な」わけではない。人間の身体、心、歴史、活動、生活形態なども、宇宙のなかでの太陽や、原子、微生物と同じく、研究対象にすぎない。人間の「自己均等化」の要求は、無中心的宇宙の打ち消しがたい帰結である。「われわれは自分自身のことは語らない」[*34]——このベーコン（一五六一―一六二六年）の言葉を、カント（一七二四―一八〇四年）は『純粋理性批判』の巻頭に置いた。これはこの時代のモットーである。しかし、ここに疑問が生じる。この時代の人間は、この帰結に満足したのだろうか。そして、もろもろの対象の総体において、人間は「ただ任意の主観[*35]」にすぎないことを容認したのだろうか。

素朴な日常経験では、主観性と客観性の乖離は、特段に重視されることはない。コペルニクス以降四百年経ったいまでも、われわれは「太陽が昇る」や「太陽が沈む」という言い方をするし、月光の輝きを日光の借り物とは感じない。たとえ客観的な事情を「理解」しており、その事情に逆らおうなど思ってもみないとしても、その点は変わらないのである。同じ関係は、科学的経験の段階でもやはり繰り返される。経験的に宇宙全体を観察すると、われわれの経験の領域では周辺に向かうにつれて〔対象がまばらになり〕質量分布が徐々に減少していく。それによって、観察者の立場はそのつど何らかの特権的な性格を帯びるのである。しかし、このモデルを使って経験を合理的に解釈しようとするなら、そこには避けがたい条件が要請される。この場合、空間内のどの一点をも特権視することなく、均一な質量分布を認めなければならないのである。観察者の立脚点を特権視するのは、主観的な錯誤とみなされ、とりわけ疑いの目で見られる。合理的解釈の条件に合わない経験的な所見が現れたときには、その経験的所見を「有力な」ものと認める前に、均質性の原理――合理的な運用原則(エコノミー)の一種(ヴァリアント)――を通用させるべく、補助的な仮説構築をあれこれと試してみるべきである。合理的思考は、観察者の立脚点を中心として特権視する考えを忌避する。しかしそれも、リーマン(一八二六―六六年)による現代的な非ユークリッド幾何学の方法とともに、空間的世界が「変換」されることによって解消された。主観的ではないかと疑われる知見は、経験的にも正当化しえなくなった。宇宙がさまざまな理由によってもはや古典的意味で無限ではありえないのなら、何らかの有限性が構築されなければならないが、それは中心点を欠いた脱中心的なものであり、そのなかのどの地点に立って見ても宇宙の均一な光景が広がっているものとなるはずである。こうして、観察者の立脚点が中心であるという経験上の錯覚(イリュージョン)は、基本的にはどの地点を選び取っても同じ錯覚が起こるという仕方で一般化される。ところで経験は、理性によって修正されるだけではなく、「感情」にも影響を受ける。人間の感情は、あらゆる経験の主観的要素をその独自の仕方で強化し展開するという点で、積極的に理解されるようになる。あらゆる感情は本質的に、現実を主観へと中心化するものである。学問的な理性は、感情の要求に対抗してこれを遮断し、その要求を他の領域へと追いやった。その新たな領域こそが、近代において、それ以前の歴史に比肩するもののない意義を担った独自のもの、すなわち「芸術/技芸」(Kunst)の領域である。

この概念をここでは、後世になって美的創造と享受の産物や対象へ限定された狭義の意味(狭い意味での「芸術」)ではなく、もともとはギリシア語の「テクネー」、ラテン語の「アルス」に由来し、「美的」領域以外にも、人間の道具的制作物(今日の意味での「技術」)を包括するものと理解しよう。さらにはそのほかに、人間の活動や創作に由来するすべて、歴史的・政治的・文化的領域一般がそこに含まれる。ジャンバッティスタ・ヴィーコ（一六六八―一七四四年）は、作られたものと実在するものが内的に統一されており、範囲において一致することを洞察した最初の思想家であった。[*36]「芸術／技芸」の概念の外延と重なるこの内的統一とはどのようなものだろうか。

すでに述べたように、世界は人間のために造られたわけではないという自覚によって、黎明期の近代は所与の自然の拘束から解き放たれた。古代以来、それまでの文化はことごとく、そうした自然の拘束に従ってきた。人間の技能や行いは、自然にもとづいてすでに存在しているものを義務として受け容れ、模倣することに尽きており、それ以外の可能性は考えられなかった。調和世界（コスモス）に適合し、調和世界に融合すること、これこそが根本的理念であった。この理念にもとづいて、認識の概念や、あらゆる種類の造形的技巧、それのみならず倫理的行動や政治形成といった概念が成立する。そして自然の拘束の観念は、キリスト教思想によってさらに強化された。なぜならキリスト教思想では、自然は神の意志の産物であり表現であると理解されたからである。中世末期にいたって、神の意志がさらに絶対視されることで、創造が拘束や束縛として働くという如上の考えが崩されていく。

人間はもはや、所与の現実を観照するのではなく、唯一にして定められた事実の世界が創造されるに先立って、その成り立ちが理解しえない事実的世界の誕生以前に遡り、そこに開ける無限の可能性にいわば手を伸ばすのである。人間にとって、その果敢な英断を妨げるものはもはや何も存在しない。現実の「根源的選択」を根本から反復すること——これが現実の「力」たることとの唯一の問題となる。力、エネルギーの加速、作動の強化がはじめて身近になり、〔近代という〕時代の最高の価値が露わになるとともに、後代の大胆な人々がその価値を表現するにいたる。(狭義の)「芸術」が、創造の自由を我が物にするといった壮大な夢をまっとうするのである。芸術はもはやミメーシスや模造や模倣ではなく、存在者の根源的創作であり、徹底した自発性、無制約な独創性であり、それらの特性が「天才」の原型に帰せられる。[*37] こうした動向もまた、後世になってようやく明瞭な姿を現す。歴史主義により、近代という時代の隠れた傾向が明瞭に意識されることによって、近代はその傾向を実現計画(プログラム)として「手中に収め」、「総合純粋芸術」において極端にまで推し進めた。現実は何ら前もって与えられているものではないという意識が、近年の芸術的諸分野の発展のうちで明瞭なかたちを取り、多様な帰結を生み出しているように見える。自然は、われわれとは関係のないもの、われわれにとって何の意味ももたないものであり、それどころか、われわれにとっては――ボードレール（一八二一―六七年）の先蹤[*38]にならってフランツ・マルク（一八八〇―一九一六年）が言うように――「あまりに厭うべきもの」ですらあり、したがって芸術家は、創造を新たに始めねばならない。こうしたもろもろが――ときに戸惑いながら、しかし決然と――言葉において、色彩において、楽音において、形態において鮮やかに示される。無限に多くの可能世界が、われわれにとってはこの唯一の現実世界よりもはるかに豊かなものに見えるのだ。

技術は本質的に自然科学の「応用」であるという長らく鵜呑みにされてきた主張は、このような文脈で理解された「技術」の意味を覆い隠してしまう[*39]。経験的・数学的自然科学が現実を構築する技能として活用されるようになる以前から、「技術的」意欲というものは存在した。その意欲は、〔近代になると〕もはや神によって人間に委ねられた世界の「統治」に頼ることがなかったところから、純粋に精神のうちに起源をもつ現実の原理となる。したがって技術的意欲とは、新たな探求の「結果」にではなく、「動機」により多く関わっている。自然の拘束から解放された自律的意識、つまり主観性の力能意欲がそこにどれほど強く働いているか、その点はデカルト（一五九六—一六五〇年）の『方法序説』第三部に典型的な仕方で現れている。よく知られているように、デカルトはこの一節で、いつの日か学問が完成し、世間のうちでの自分の行いの正しさに一片の疑いも容れないほどの確かな知を獲得する以前にあって、人間が従うべき道徳、さらには準則の設定を論じている。完成した「確定的道徳」に達する以前には、人間はどうすべきなのか。どうしたら人間は、「暫定的に（さしあたり）」幸福になれるのだろうか。デカルトが確信しているのは、「幸福」とは、われわれの生存のあらゆる条件を完全に統御する以外の何ものでもないということである。しかしながら自然は、われわれがその法則を完璧に知得していないなら、そうした完全な統御下に収まることはない。部分的な認識では、われわれが「遭遇する」もののなかに、偶然や運命の介入する余地が多かれ少なかれ残るためである。このような「暫定的性格」から免れていて、「われわれの能力だけで完全」である地盤はひとつだけ存在する。それはわれわれの思考そのものである。メルセンヌ（一五八八—一六四八年）宛の書簡のなかでデカルトは、われわれの心情と思考はわれわれの意のままにはならないと説くアウグスティヌスとアンブロシウス（三三九頃—九七年）という二人の教父に反対している。*40 デカルトが明言するところによれば、われわれの思考の領域では、われわれ自身が主役なのである。外的な事物がわれわれに対する支配権をもつのも、われわれがそれを容認するかぎりでのことである。しかし、われわれが外的事物に対してどのような「態度」をとるか、どれほどの関心をもつかはわれわれ次第である。極端な場合それは「無関心」という中立的態度にもなりうる。この根本的な考えはストア派に由来する。われわれは「自己存在（イディオン）」の領域においては自由であるが、「異他的存在（アロトゥリオン）」の領域にあってはそうではない。しかしこの根本思想がデカルトでは、まったく非ストア派的な文脈に入り込んで、世界は「人間のために造られたわけではない」、そして世界は人間にとって未知のものであり、意のままになるものでもなく、自由の領界（メディウム）でもないといった意識と結びつく。したがって、「世界はわれわれのために造られていて、すべてのものは自分に与えられるべきである[*41]」といった、幼い頃より無意識に親しんだ素朴な思い込みは、われわれは自分の思考に対して支配権を有するといった考えにとって替わられねばならない。こうした考えには、当然これに繋がる帰結がある。われわれの支配権と自由の及ぶ領域は、ただ思考そのものだけでなく、その本質と発生がわれわれの思考にもとづき、その思考に依存しているもの、純粋な構築の領域、すなわち技術的世界のすべてもそうである。技術的世界は、絶対的な自己権能の投影である。その基盤こそ、何らかのほかの意思――それが神の意思であっても――に左右されない根本的な地盤、「われ思う、ゆえにわれあり（コギト・エルゴ・スム）」にほかならない。こうして技術とは、精神史と絡めて見るなら、無制約な権能へと踏み出した主観性の明白な一現象である。

しかしながら、人間がこうした領域で、日々ますます身をもって「体験」する事態は、想定とは異ならざるをえない。つまり、もろもろの事物やその歴史が、人間に向かって思わぬ「抵抗」を示し、人間自身の所有物と思われたものがよそよそしいものに変わって、やがてはわれわれ自身がそれに身を委ねざるをえないといった事態が起こるのである。技術による生産物は、それぞれが設計による構築と自由な目的設定にすみずみまで規定されているにしても、その産出物の全体は、「第二の自然」のようなものであり、人間のために造られたとは思えないばかりか、予定していた絶対的な利便性からますます離反し、人間を「中心」としたものではなくなっていく。人間は、第一の自然を乗り越えて、自分自身で作り上げた第二の自然へと移行する。やがて状況は変化し、人間の手に負えないものとなり、飼いならし馴致することもむずかしく、「欠陥製品」の名を甘受せざるをえなくなる。このような厄介な経過は現在（こんにち）、とりわけ「技術（テクノロジー）の呪い」などと称される。それは、人間が始めた事象に人間自身が困惑し、打つ手がなくなり、断念を余儀なくされる状況を表している。

人間は自ら作り出したあらゆる現実的領域のなかでも、何ら中心の地位を占めていないというのは、現代の特徴である。人間が客観的な機能のうちに「容赦なく」組み込まれているのも、その状況に対応している。古代より人間の「生活需要」は、あらゆる経済活動を統制するものであったが、十九世紀初頭にはきわめて飛躍的な発展によって、そうした「生計の理念」を中心とした発想が崩れ、経済が客観的法則に従って進行する自律的過程となり、人間とその需要も、経済のこの自律的過程のうちに同化されざるをえなくなる。近代初頭の世界観の変革にあっては、中心の廃棄と有限性の廃棄は、同じ過程の二つの側面を表していたが、それと同様に、経済革命においても、具体的・人間的な需要との関係を切り離すことで、経済的領域は無制限にまで拡張した。[*42] 人間がもはや自分自身の世界の中心ですらないということが、これほど直接に実感できる場所はほかにはないだろう。

このような状況のうちで、すでにコペルニクス的転換という瞠目すべき現象として示してきた事態、そしてまた、ダーウィン効果とでも呼べる事態が引き続き発生する。世界の中心の地位、そして生物種のなかでの特別な等級から追放されるのは、「威厳の低下」や「価値の下落」というよりは、「自由の獲得」、あるいは「重圧からの解放」という意味合いをもっていた。現代でも、こうした近代の世界観の変化から、政治・技術・経済の各領域、さらには文化的領域における最終的帰結が、かならずしも「危機」として経験されてはいないという奇妙な現象が目の前で起こっている。もとより現代世界の状況を分析する多くの批評家たちが、繰り返し新たな表現でこの「危機」を認定しようとしているのは確かではある。しかしながら、たとえば「中心の喪失」〔H・ゼードルマイアー〕をしきりと喧伝し証明するとしても、それが失われた美点として実感されないとしたら、あまた供給されるこうした処方箋も何を成し遂げることができるだろうか。現在や未来に関する自己責任や、「中心についての憂慮」から人間を解き放つ新たな解放の熱意（パトス）が徹底されるとしたら、どういうことになるだろう。いまや「救済の断念」を特徴とする生存形態が顕在化している。それは、人間が装備や組織を手放すことに同意したようなものであり、「幸福という逃げ道」を撥ねつける。しかし、「いかなる慰めももはや望むことのない」悲哀に何が約束されるだろうか。人間が何ものたりうるかについていかなるイメージにも辿り着かない訴えに、どんな意味があるだろうか。単なる嘆き節ではどうにもならない。かといって、すでに歴史となった過去を認めることなく、「事実」に歯向かう孤立無援の抵抗へ撤退することも、無益であることに変わりはない。[*43] 主観性を強化するには、同時に客観の領域の権能を強めなければならない。無世界的主観たろうとするドン・キホーテ的な試みは、「魔術的（デモーニッシュ）」とも思えるもの、すなわち無主観的世界を生み出す。主観性と客観性のこうした乖離は、その和解の可能性をふたたび探るなら、もとになった分裂を根底にまで遡って把握しなければならない。近代にあっては、そもそもこの分裂という問題に無縁の精神活動でなければ、真の意味で「偉大」とはいえまい。ここではその観点から「偉大」と評される二人の人物、カントとゲーテを考察しよう。

ここでカントを引き合いに出すというのは、一見するところ、見込みがないように思える。何といっても、カントは一般に、主観・客観の乖離を体系として完成した思想家とみなされているからである。カントは、『純粋理性批判』における対象〔客観〕の可能性への問いと、『実践理性批判』における主観の可能性たる自由への問いを最終的に分離し、断絶を生み出したように思われる。カント自身、この二つの「批判書」には体系的な欠陥があることに気づいていた。その欠陥を埋めるために、カントは第三の主著である『判断力批判』を書き上げたのである。この著作では、主観性と客観性の媒介が試みられた。『判断力批判』の論述は、「世界は人間のために造られているわけではない」という命題による〔人間中心主義の〕失効を、ある概念によって「救済」することを目指していた。それがすなわち、目的論、合目的性の概念である。もとより、世界は人間のために造られているのか、あるいは世界は人間の支配に服しているのかどうかについて、この目的論の概念が何ごとかを決定するということはない。われわれの認識はこのような問いに関しては、まったく助けにならない。[*44] しかし同様に、生命ある自然を認識するには、われわれは合目的性という手引きを失うことはできない。生命の構造は、生命をそれ自身の目的の秩序のうちに位置づけて把握したとき、はじめて理解可能になるのである。とはいえ、このような内在的な合目的性は、自然のなかでの人間の位置について何を語ってくれるのだろうか。合目的性と美との基礎づけの関係を明確にすることで、このような問いを解く手がかりがただちに与えられる。「美とは、ある対象の合目的性が目的の表象ぬきにその対象に関して認知される場合にかぎり、対象の合目的性の形式のことである」[*45]。主観と客観の直接的な合致こそ、あらゆる美の深い根底である。人間が事物に対してそれと知らず暗黙裡に抱く期待になぜか事物が適合しているという感覚、それ以上われわれは「何も手を施すことができない」という感覚が、美の深い根底なのである。美を認知する際に、主観はけっして孤独ではない。なぜなら美は、カントがいうように、「主観的普遍性」を要求するからである。美的体験において、主観は世界と共鳴し、世界の現実は主観を中心にしてめぐっている。芸術作品は美の範例（パラダイム）的存在である。客観的経験の対象として見れば、それは純粋な、時間・空間のなかで現れる、因果的に決定された構成物にすぎない。ところが美として立ち現れるなら、それは人間の側を向いており、人間にとって「過剰」な意味をもっている。しかもその意味は、普遍性をもつ点で単なる空想ではありえないが、確定的な把握によっては捉えられない。このような美の概念が、芸術作品だけでなく、自然界の事物にも当てはまるのは驚くべきことである。しかも、自然の理解の原理として想定されるさまざまな「不確定性」——無定形な原形質や偶然の突然変異、生存競争など——を思えば、その驚愕はなおさらである。このような〔美の問題の〕繋がりをしっかりと捉えるなら、

「自然の美」は本来、それを拒絶せねばならなかった時代の発見であったということ、また、自然は神によって人間のために創造されたと信じられた時代には見出されることがなかったということ、これも十分に理解できることである。

しかし、カントにとって目的論の概念がもっていた意味はこれだけに尽きるものではない。美の理念のうちに見出された主観性と客観性の媒介は、さらにひろく拡散していく。正当化された体験の世界は、それ以前に個別に現象している認識の世界へと遡及することで、認識の本質がより深く把握され、真理の理念がより厳密に理解されるようになる。経験の対象がいかに可能かという問いは、『純粋理性批判』の主題であった。しかし、もろもろの対象が総じていかに認識されうるかということだけでは不十分である。それに加えて、認識の一義的な論理的・体系的連関に対してわれわれが認めねばならない秩序と、個々の経験対象そのものとのあいだに相関関係が成立しなければならない。自然法則はこのような相関関係の要求を満たすことはない。対象の「領域」を可能にするが、それ自体で完結したり完結可能であったりするのではない、より包括的な構造契機がさらに存立する必要がある。そしてその領域はまた、理性の要求に即して、全体把握と概念的分節の必要(エコノミー)を満たすものでなければならない。このような要求が確認できるということを、カントは理論的に慎重に、「われわれの意図に好都合の幸運な偶然」[*46]と呼んでいる。このような「偶然」は、目的論に根拠をもつ美そのものという特徴を具えている。それはまた、対象の秩序の客観的な可能性が、われわれにとってほかには考えようのない合理的秩序と合致するといった、驚くべき事態である。こうして、対象の体系性の可能性に必然的に依拠しているあらゆる学問は、ある前提――客観的には確証することができず、学問的厳密さからは「偶然」というほかはない前提――、すなわち「自然の形式的合目的性」にもとづいている。このような根拠から、人間はいつでも必然的に、自然は人間のために造られているという確実な結論を導き出せないまま、それでも自然はあたかも人間のために造られていると想定するのである。

自然が人間に適合しているのはけっして単なる偶然ではないと、おおらかに信じて自然を迎え入れた――あるいはむしろ自然の中心に立った――のがゲーテ（一七四九―一八三二年）である。というのも、ゲーテという存在の偉大さは何よりも、コペルニクスから三世紀後、ガリレイから二世紀後、ニュートン（一六四二―一七二七年）から一世紀後に、宇宙中心的な生のあり方をいまひとたび大胆にも構想したという点にあるといっても過言でないからである。哲学者〔カント〕とその理論的要求にとっては単に「幸運な偶然」にすぎないもの——われわれの認識の可能的統一の必然的理念となるもの——にもかかわらず、ゲーテは、自然の振る舞いの直接的で確実な現実と捉えた。ここでジョージ・サンタヤナ(一八六三—一九五二年)の言葉を引用するなら、ゲーテは「哲学者にとどまるにはあまりにも叡智に富んでいた」[*47]。しかしゲーテはカントの『判断力批判』を絶賛し、カントは「芸術/技芸の産物と自然の産物を二つながらひとつのものとして扱った」[*48]と述べている。この言葉は、芸術が本質的にわれわれにとってのものであるのと同じ仕方で、自然を「われわれにとっての存在」と見るという意味にほかならない。自然が人間に内的に協和し、人間が自然に内的に協和する。自然が直観に寛く身を委ね、人間が自然の意味へ自在に接近する——そうしたことはゲーテにとって確実なことであった。『色彩論』は、現象に接する根本的態度を、かなりわかりにくくはあるが、豊かな仕方で証言している。そのゲーテといえども、間接的な器具で現象を観察することをためらっていた。「顕微鏡や望遠鏡は実際のところ、純粋な人間の感覚を混乱させる」[*49]。その理由は、ゲーテがアリストテレス主義者さながら、一切を思弁的に演繹できると信じていたからというわけではない。ゲーテは現象そのものが、「その純然たる姿で現出し、自らの由来を語り、自身の帰結を指し示すことができる」[*50]ことを望んだのである。装備で固めた強引さや、直観ぬきでことを進める仮説の性急さをゲーテは嫌ったのだろう。なぜなら人間は、自然への闖入者として割り込んでいくのではなく、自然の中心から出発して、自然との純粋な照応関係のうちにあるからである。これに対して科学的装備は人間を倒錯した立場へと誘い込み、「その器具は、自然の神秘を解き明かすどころか、自然を解きがたい謎へと変えてしまう」[*51]。感覚に対する不信感という近代的偏見をゲーテは共有していない。ゲーテにとって、目そのものが、主観性と客観性の最も純粋な媒介なのである。「光の創造物である目は、光そのものが行うすべてのことを成し遂げる。……目のうちでは外部からは世界が、内部からは人間が映り込む。内部と外部との全体的合致が目によって達成されるのである」[*52]。「支配」の要求ではなく、「信任」への意志に対してこそ、世界はその中心を開示し、ここにおいて、理念と現象が何の強制もないままに合致する。カントはこのような合致を無限の目標として留保したが、ゲーテはそのような姿勢からはほど遠い。ゲーテは体験できる意味こそ、事物本来の性質と考える。というのも自然は「たぐい稀な芸術家[*53]」であり、その技を適切に感得できるのは、ただ共感に満ちた直観のみだからである。

とはいうものの、客観性から分化した主観性という「疚しさ」を克服することだけがゲーテの最終目標なのではない。カントが道徳的自由を崇高で超俗的な孤独として位置づけたのに対して、ゲーテは道徳的自由を存在との共鳴のうちに引き入れようとする。[*54]『色彩論』の真髄はまさに、感覚的次元と倫理的次元の統一を打ち立てようとするところにある。ここではもちろん、理念と現実がいかに互いに分裂しているかということが痛切に感じ取れるし、ニュートンや厳密自然科学全般に対抗して、〔主観・客観の〕区別の必然性、そして冷厳で逃げ場のない疎外の必然性をゲーテがいかに斥けようとしていたかが看取できる。なるほど現代のわれわれは、ニュートンに対してゲーテが正しかったということはできないし、科学が要求する厳密さを無視することもできない。しかしその一方で、われわれにとって否応なく自明の前提となりかねない必然的な分裂を痛ましく思ってしまうのも確かである。十九世紀には、ゲーテの克服の意欲が無駄であったとか、その議論が見当違いであると言われたが、その批判はもはや現代のわれわれの心に響くものではない。それよりも、〔ニュートンとゲーテの〕勝敗が決してしまった現代だからこそ、理念を目指す徒労とも思える努力を断固として引き受けたゲーテの「騎士道精神」が、いっそう鮮やかに目に映るのである。

人間が世界の中心にはいないという脱中心的な位置づけは、何らかの奇策によって覆したり、辛抱強い治療によって修正したりしうるものではない。われわれにとって目前の危険は、そうした修正の手立てをもっていないことではなく、「世界の中心に立つ人間」という理念を、歴史的に生き残ったメタファーにすぎないと思いなし、それが効力をもたないことを確認したうえで、現状に甘んじてしまうことである。現状をうわべだけ正当化するのではなく、理念の永遠の権利を信頼すること——これこそが、人間の尊厳のこのうえなく重要な課題なのである。

註

＊1——ケプラーに宛てた一六一〇年八月一九日付の書簡で、ガリレイはこの拒絶の模様を語っている。「あなたはどう思われますか。われわれの大学の名望ある哲学者たちは、私があれこれ手を尽くして、惑星や月、あるいは望遠鏡を見るようにと勧めても、うんざりするほど頑なにそれを拒んだのです。腹立たしいことですが、ある者は耳を閉ざし、ある者は真理の光に対して目を塞いだのです。まったく、不思議ではありません。こうした種類の人々にとっては、哲学とは『アエネイス』や『オデュッセイア』という書物なのであって、真理を求めるのは、世界や自然のなかではなく、（彼ら自身の言い方を借りれば）テクストと向き合うことによってなのですから」（*Johannes Kepler in seinen Briefen*, ed. Max Caspar, Walther von Dyck, Bd. 1, München 1930, S. 353）。一六一三年になっても、クレモニーニは著作『天体論』で、ガリレイの新発見に言及していない。ガリレイはこの三年前に木星の衛星を最初に発見しており、これはプトレマイオス的体系を反証する最初の実証的な裏づけとなっていたのだが。Cf. Leonardo Olschki, *Galilei und seine Zeit* (Geschichte der neusprachlichen wissenschaftlichen Literatur, Bd. III), Halle 1927, S. 220, Anm. 1. ボローニャの数学教授G・A・マッジーニは、クレモニー

ニよりもさらに容赦なく、ケプラーにこう書き送っている。「木星の四人の新たな従者を取り除いて消し去らねばなりません」（以下による引用。L. Olschki, *op. cit.*, S. 220, Anm. 3）。

＊2――ティコ・ブラーエ（一五四六―一六〇一年）は、自らの天文学的認識から引き出される結果を抑え込んでしまったと非難されることがある。そのような彼の形而上学的な「慎重さ」について、現代では次のように語られる。「彼の知性を押しとどめようとしたのは、ある責任の感覚ではなかっただろうか。コペルニクス的世界もまた解体に瀕している今日、私たちはようやくこの責任の感覚を再評価することができる」（Ernst Jünger, *Das Sanduhrbuch*, Frankfurt a. M. 1954, S. 160.〔ユンガー『砂時計の書――時間と時計をめぐる文明論』今村孝訳、人文書院、一九七八年、一七四頁〕）。「しかしいつの日かもはや人間の進歩ではなく人間の幸福を考察の中心に据える歴史家が現れるなら、その評価は覆され、巨人族（ティタネス）的世界に通じてしまった大胆さよりも彼らの慎重さのほうが高く評価されるに違いない」（*ibid.*, S. 171f.〔同、一八七頁〕）。

＊3――一六一六年に起きた新たな世界観に対する教会側の抵抗〔ガリレイの最初の宗教裁判、コペルニクス『天体の回転について』の教皇庁による暫定的閲覧禁止処分〕に、クレモニーニが何らかの仕方で与していたということはおよそ考えにくい。クレモニーニはア

ヴェロエス派のアリストテレス主義の伝統、および「二重真理説」の支持者である。そのため、ガリレイの数々の発見は、この思想的枠組みのなかに組み入れられうるものであった。

＊4――世の中への広範な影響（新理論を歓迎する風潮については、以下に数多くの証左が挙げられている。Cf. L. Olschki, *op. cit.*, S. 231, Anm. 1, S. 270f. など）や、圧倒的な意識変革は、三世紀のちにダーウィン（一八〇九―八二年）の理論が博した人気を思わせる。ダーウィンの理論でも、今度は生物学の場面で人間は自らの特別な地位を失ったわけである。一八八三年にダーウィンの逝去に際して、ベルリン・アカデミーの講演で、エミール・デュ・ボワ＝レイモン（一八一八―九六年）が、次のような比較を行っている。「私の見るところ、ダーウィンは有機物の世界におけるコペルニクスなのです。……人間はついに、その同胞の末端という、自身にふさわしい位置に就いたのです」（E. Du Bois-Reymond, *Drei Reden*, Leipzig 1884, S. 48f.）。「一言でいって、進化論が流布するほどにまで、時代は成熟していました。だからこそ人間の本性について、少なくともコペルニクスの体系がプトレマイオスの見解と異なるように、従来のものとはかけ離れた見解に雪崩を打って転換していったのです。進化論の見解は、そのコペルニクスの体系を補完するものでした」（*ibid.*, S. 50f.）。

＊5――Galileo Galilei, *Sidereus nuncius*, 1610, Opere, ed. Naz. II, 75.「〔地球は〕世界のごみ溜めや汚物槽でないことを証明しよう」〔ガリレイ『星界の報告』伊藤和行訳、講談社（講談社学術文庫）、二〇一七年、四一頁〕。〔訳註〕ブルーメンベルク『メタファー学のパラダイム』村井則夫訳、法政大学出版局、二〇二二年、第九章、二三七頁以下参照。

＊6――Aristoteles, *Politeia* I, 8, 1256b15-22.〔アリストテレス『政治学』神崎繁ほか訳、新版『アリストテレス全集』一七、岩波書店、二〇一八年、四二頁。「自然によるものでは……植物は〔食料として〕動物のためにあり、他の動物は人間のためにある。……自然が何一つ無目的に作ることもなければ、無駄に作ることもないとすれば、自然はそれらすべてを人間のために作ったのでなければならない」〕

＊7――Cf. M. T. Cicero, *De natura deorum* II, 13, 37.「だが人間自身は、宇宙を観想し宇宙を模倣するために誕生した」〔キケロ『神々の本性について』山本太郎訳、『キケロー選集』一一、岩波書店、二〇〇〇年、一一一頁〕。人間は、「他の事物すべてにとっての始まりである」(id., *De legibus* I, 24-27〔キケロ『法律について』岡道夫訳、『キケロー選集』八、一九九九年、一九六―一九八頁〕。人間中心的目的論は、キケロの思想のうちにもともと根差しているとする考察を、最近ガウリック（G. Gawlick）が試みている（未公刊）。人間中心的目的論は、とりわけ神々と人間のあいだの信義の関係である宗教に関わって

いる。神々は人間に対して、目的論的な秩序をもった世界を「配慮」し、人間は宗教による「配慮」（「敬神、崇敬、畏怖」）で神々に繋がっている（id., *De natura deorum*, prooem.〔キケロ『神々の本性について』、六頁〕）。

＊8――アンティオケイアのテオフィロス（一八一／八八年歿）『アウトリュコスに送る』（*Ad Autolycum* II, 10 [=Bibliothek der Kirchenväter (BKV), Frühchristliche Apologeten II, 1913, S. 37f.]〔今井和正訳、『中世思想原典集成』一「初期ギリシア教父」、平凡社、一九九五年、一二八―一二九頁〕、ラクタンティウス（二五〇頃―三二五年頃）『神的教理梗概』（*Epitome Divinarum institutionum* LXIII [= BKV, Schriften, 1919, S. 209]）、ニュッサのグレゴリオス（三三五頃―九四年）『人間創造論』（*De hominis opificio* c. 2〔秋山学訳、『中世思想原典集成』二「盛期ギリシア教父」、一九九二年、四九三―四九四頁〕）を参照。ヨアンネス・クリュソストモス（三四〇／五〇―四〇七年）はこの根本思想を、人間と宇宙の救済の関連性という、「ローマ人への手紙」八・一、一九―二〇で表明された考えと結びつけている（*Kommentar zum Römerbriefe*, 15 [=Homilia, BKV, Ausgewählte Schriften V, 1922, S. 386]）。

＊9――Augustinus, *De diversis quaestionibus LXXXIII* q. 30 [: Utrum omnia in utilitatem hominis creata sint].

＊10――レオン・ブロワ（一八四六―一九一七年）のような「事実」に頓着しない熱狂的信徒は、現代でも、世界と人間のこのような絶対的意味に依拠することができた。彼の『貧しき女』のなかで、登場人物マルシュノワールはこう語っている。「曲学阿世の徒が世にはびこる以前には、救世主の墓こそが宇宙の中心であり、世界の蝶番にして枢軸であることを子供ですら知っていた。地球は、そう望むかぎり、太陽の周りを回ることだろうに。……見晴るかせない天は、イエスが三日間その下で眠ったという古い石の場所を示す以外に何の役割ももたない」〔『貧しき女』水波純子訳、中央出版社、一九八二年、一六一頁〕。

＊11――Duns Scotus, *Opus Oxoniense: Ordinatio* III dist. 32 quaest. un. n. 6.

＊12――Thomas Aquinas, *Summa theologiae* I quaest. 96.〔トマス・アクィナス『神学大全』七、高田三郎・山田晶訳、創文社、一九六五年、一二三頁以下〕

＊13――*Ibid.* art. II.「人間は無垢の状態において、諸々の植物や無生物を、命令するとか、あるいはこれを動かすという仕方においてではなく、かえってそれらの援助を何らの支障なしに自己の用に供しうるという仕方において支配していたのであった」〔同、一三〇頁〕。

＊14――*Ibid.* [quaest. 102] art. II ad 2.「したがって、地上の楽園が人間に適合的な場所であるというのは、魂にとってであると同時に、身体にとってでもある」〔同、一九二頁〕。

＊15——〔訳註〕グノーシス主義では、世界を創造した旧約聖書の神（YHWH）が、デミウルゴス、あるいはヤルダバオートと呼ばれ、それによって作られた物質的世界が悪の元凶とされるのに対して、新約聖書においてはイエスが祈った神こそが「真の父」であり、救いの源とみなされる。

＊16——H. Jonas, *Gnosis und spätantiker Geist*, Bd. 1, Göttingen 1934.〔ハンス・ヨナス『グノーシスと古代末期の精神』大貫隆訳、ぷねうま舎、全二巻、二〇一五年〕

＊17——唯名論者オートルクールのニコラウス（一三〇〇頃—五〇年以降）が撤回しなければならなかった主張のうちに、以下のようなものがある。「ある事物が他の事物より優れていると明確に示すことはできない」（cf. Clemens Baeumker, *Witelo: Ein Philosoph und Nachforscher des dreizehnten Jahrhunderts* [*Beiträge zur Geschichte der Philosophie des Mittelalters* III, 2], Münster 1908, S. 427, Anm. 1）。このような命題が、中世の人間論にとって破壊的な効力をもっていたのは明らかである。

＊18——Cf. Gerhard Ritter, *Studien zur Spätscholastik*, Bd. I, Heidelberg 1921, S. 77ff. さらに唯名論全般における神概念の変遷については以下を参照。[H. Blumenberg, Kant und die Frage nach dem "gnädigen Gott", in:] *Studium Generale* 7 (1954), S. 554ff.

＊19——Pierre Duhem, *Le système du monde. Histoire des doctrines cosmologiques de Platon à*

Copernic, t. 1, Paris 1913, pp. 218s.「十四世紀以降、パリ大学の唯名論者たちは、……われわれにとっては止まって見える地球があたかも絶えず動いているという考えに人々を慣れさせていくだろう。こうしてコペルニクスの仮定を平然と受け容れる心構えが整っていくだろう」。

*20——Gerhard Ritter, *op. cit.*, S. 100ff.

*21——ビルケンマイヤーは、コペルニクスが一四九一/九二年に学生であったクラクフに、一四八八年までオッカム主義の影響があったことを突き止めたが、コペルニクスと唯名論との関係ははっきりさせることができなかった(*Philosophisches Jahrbuch* 35 [1922], S. 93)。時代的な繋がりは十分だが、影響の内容的な判断基準を満たしていない。

*22——Nicolaus Copernicus, *De revolutionibus orbium coelestium*, praef.〔コペルニクス『天体の回転について』矢島祐利訳、岩波書店(岩波文庫)、一九五三年、一六頁〕

*23——*Ibid.*, I, 4.「知性はこの二つ〔不定性と変化〕を恐れて混乱するのであり、このようなものを最高の秩序で構成されているもののなかへ考えることはふさわしくない以上、それらの規則的な運動がわれわれには不規則に見えているのである」〔同、二八—二九頁〕。

*24——*Ibid.*, I, 10.「しかし、役に立たないものや余分のものを極度に嫌う一方、きわめて多くの場合、同一のものにさまざまな働きを与える自然の叡智に従わなくてはならない」〔同、

四六頁〕。

*25――〔訳註〕超越範疇とは、一般のカテゴリーを越えて、存在者全体に当てはまる範疇のことである。トマス・アクィナスによってその内容は、「存在・一・真・善・或るもの」などと定められる。それぞれの超越範疇は、存在者全体を包摂するものであるため、述語として互換可能である。

*26――Du Bois-Raymond, *op. cit.*, S. 49. デュ・ボワ＝レイモンは、「いまやいかなる創造の日も必要ない」ということには異議を唱えている（S. 54）。

*27――G. Manetti, *De dignitate et excellentia hominis* (1452), zit. E. Cassirer, *Individuum und Kosmos in der Philosophie der Renaissance* (Studien der Bibiothek Warburg, Bd. X), Leipzig 1927, S. 88.〔カッシーラー『個と宇宙』薗田坦訳、名古屋大学出版会、一九九一年、一〇三頁〕

*28――Pico della Mirandola, *Oratio de hominis dignitate* (ed. E. Garin, Firenze 1942, pp. 104ss.).〔ピコ・デッラ・ミランドラ『人間の尊厳について』大出哲・阿部包・伊藤博明訳、国文社、一九八五年、一六―一七頁〕。こうした物言いの伝統的・神学的な「枠組み」は、新しい展開を「受けとめ」ようとするあらゆる試みの特徴をなしている。これについてはさらに以下を参照。H. Blumenberg, Das Verhältnis von Natur und

Technik als philosophisches Problem, in: *Studium Generale* 4 (1951), S. 466. [in: id., *Schriften zur Technik*, Berlin 2015, S. 26]

＊29――〔訳註〕Johann Wolfgang von Goethe, *Prometeus*.（ゲーテ「プロメテウス」山口四郎訳、『ゲーテ全集』一、潮出版社、一九七九年、二二四―二二五頁）

＊30――Cf. H. Blumenberg, Technik und Wahrheit, in: *Actes du XIème Congrès Int. De Philosophie*, Bruxelles 1953, vol. 2, pp. 113-120. [in: id., *Schriften zur Technik*]

＊31――神学的人間学において、人間が誤る可能性をもつのはなぜかという問いが立てられる点からも、この変化は窺える。中世の神学ではこの問題が常々、ペトルス・ロンバルドゥス（一〇九五／一一〇〇―六〇年）『命題集』第二巻第二三区分の「堕罪以前の人間の知」に即して論じられた。その場合、「誤ることがありうる」ことは、堕罪の結果であり、人間本性が本質的に真理に根差していた状態が毀損されたためと考えられる。十六世紀のスコラ学者フランシスコ・スアレス（一五四八―一六一七年）は、近代にまで深く影響を及ぼした思想家だが、彼によれば、人間本性は、「無垢の状態」〔堕罪以前〕にあっても真理に対して中立的であって、「誤ることがありえない」のは、天国において「神の摂理と保護」にもとづくかぎりである（Francisco Suarez, *De opere sex dierum* III, 10）。さらに特徴的なのは、アダムを守る神の「保護」がもともとどのようなことにあ

るのかという点である。それはたとえば、積極的な「照明」にあるのではなく、カテゴリーによる判断を自制するという天分を与えたことにある。天国とは、行為し――それとともにまた判断し――なければならないことにではなく、「誤る危険なしに」存在することにある。天国の状態では、判断や行為をやめることができたり、意志をもって認識を思いとどまったりすることはもはや必要ない。こうした脈絡から、認識とは第一義的に真理に関わるのではなく、自己主張に関わるのだということが示される。人間存在の生存条件（エコノミー）は、「現象」で事足りる「必然的」な確実性であり、「事物をそのもの自体に即して」把握しようとするのは〔人間の〕越権（ヒュブリス）だった（*ibid.* III, 10, no. 9）。

*32――エディントンによれば、「特定の誰かの視点にもとづかない世界概念を獲得すること」が、物理学的理論の究極目標である（Arthur Eddington, *Space, Time and Gravitation*, [Cambridge] 1920, p. 30）。すでにジョルダーノ・ブルーノ（一五四八―一六〇〇年）が提唱する無限宇宙は、任意のどの点からも同じ光景が見られるという要求を満たしていた（この点は以下で証示されている。D. W. Singer, *Giordano Bruno: His Life and Thought*, New York 1950, pp. 56, 67s.）。コペルニクスとアインシュタインの関係を、マックス・ボルンが以下のように述べている。「コペルニクスが行った相対化の偉大な業績に続いて、自然科学の発展期には、同種の多くの相対化がなされたが、それはどれ

もコペルニクスのものに比べて小ぶりなものだった。アインシュタインの業績こそ、ふたたびこの偉大な模範に肩を並べるものとなった」(Max Born, *Die Relativitätstheorie Einsteins*, 3. Aufl., Berlin 1922, S. 11)。

＊33——E. Husserl, *Formale und transzendentale Logik*, Halle 1929, S. 219f.〔フッサール『形式論理学と超越論的論理学』立松弘孝訳、みすず書房、二〇一五年、二七四—二七五頁〕。デカルトの「根底から新たにすべてをやり直す」というモットーとの連続性は明確であり、フッサールも究極の徹底性を目指して自覚的にこれを受け継いだ。フッサールは「無前提性」という手垢のついた概念に、充実した意味を与えようとしたのである。彼は世界を前提することをやめようとする(*ibid.*, S. 221f.〔同、二七六—二七七頁〕)。「想定しうるあらゆる事柄に先立って最初に存在するのが自我である」(*ibid.*, S. 209〔同、二六二頁〕; さらに S. 237〔同、二九三—二九四頁〕)。世界の関係定立に関して、方法的に「参与をやめる」ことで、無世界的で、アルキメデス的な立脚点が成立する(*id.*, *Cartesianische Meditationen*, Den Haag 1950, S. 73.〔フッサール『デカルト的省察』浜渦辰二訳、岩波書店(岩波文庫)、二〇〇一年、七二頁〕)。純粋自我は世界に関わる自我に関与しない傍観者となる(*ibid.*, S. 75〔同、七六頁〕)。主観は世界の中央からはじき出されるだけでなく、世界および世界による拘束そのものから「引き抜かれ」、「解放」

される。これが可能性ないし宿命と判断されることによって、それはますます確かなものとなる。

＊34——〔訳註〕カント『純粋理性批判』の巻頭には、ベーコンの『大革新』の「序」からの引用が掲げられている。「われわれは自分自身のことは語らない。しかしここで論じられる事柄に関しては、人々がこれを単なる私見とみなすのではなく、一大事業とみなし、またわれわれは、ある学派や学説の基礎づけを企てるのではなく、人類の福祉と尊厳の基礎づけを企てるのだということを信じてもらいたい……」。

＊35——Cf. Hans Lipps, *Die menschliche Natur*, Frankfurt a. M. 1941, S. 58.

＊36——〔訳註〕G. Vico, *De antiquissima Italorum sapientia ex linguae latinae originibus eruenda* (1710), I, 1.（ヴィーコ『イタリア人の太古の知恵』上村忠男訳、法政大学出版局、一九八八年、三三頁。「ラティウムの人々によれば、真なるもの（verum）と作られたもの（factum）は交換可能である」）。ヴィーコはこの原則に従って、神の創造した自然が究極的には不可知であるのに対して、人間の産物である文化・政治・歴史は厳密な理解が可能であるとして、人文学の基礎づけを試みた。

＊37——ルネサンスの芸術論において「模倣」の理想が「発明」へと転換する経緯について以下を参照。August Buck, *Italienische Dichtungslehren vom Mittelalter bis zum Ausgang der*

Renaissance, Bd. 1, Tübingen 1952.

＊38——ボードレールが抱いた自然への敵意について、以下のものが過剰なほど鋭く分析している。Jean-Paul Sartre, *Baudelaire*, dt. Ausgabe, Hamburg 1953, S. 86-88.〔サルトル『ボードレール』佐藤朔訳、『サルトル全集』一六、人文書院、一九五六年、七九頁以下〕。〔訳註〕カンディンスキーと共同で「青騎士」も創刊した表現主義の画家フランツ・マルクの一九一五年四月の妻宛書簡には、「僕はずっと前から人間はむしろ〈厭うべき〉ものと感じてきた。動物のほうが僕には美しく、純粋に見えたんだ……」という一節がある。

＊39——H. Blumenberg, [Das Verhältnis von Natur und Technik als philosophisches Problem], in: *Studium Generale* 4 (1951), S. 465. [in: id., *Schriften zur Technik*, S. 24]

＊40——3 décembre 1640 (éd. Adam-Tannery, III, pp. 248s.〔『デカルト全書簡集』四（一六四〇—一六四一年）、大西克智ほか訳、知泉書館、二〇一六年、二一九頁〕

＊41——Mars 1638 (*ibid.*, II, pp. 36s.).〔『デカルト全書簡集』二（一六三七—一六三八年）、武田裕紀ほか訳、二〇一五年、二二一頁〕

＊42——Cf. Werner Sombart, *Die deutsche Volkswirtschaft im 19. Jahrhundert*, 8. Aufl., Darmstadt 1954, S. 68.「目的の具体性の克服は、その制限の克服と絡み合っている。資本主義的事業の目的は抽象的であり、それゆえ無制限である」。ヴィルヘルム・レプケは、この

プロセスの理論的帰結に関して、「国民経済学の非人間化」ということを語っている。その理論は経済学のもとでますます、数学的に把握可能な物理的性格の関係構造として理解される。それとともに人間は還元可能な量として無視され、自然科学の諸対象に属するものとみなされる(Wilhelm Röpke, Der wissenschaftliche Ort der Nationalökonomie, in: *Studium Generale* 6 [1953], S. 380)。

＊43――数多くある証言のうち、以下のものを挙げておく。「天体というものは実に遠くにあるので、光がわれわれのところに届くまで千年もかかるのだと天文学者が説明するのを聴くと、実に芸のない法螺話だと思ってしまう」(G. B. Shaw の言葉、以下による引用。G. K. Chesterton, *Shaw*, dt. Ausgabe, Wien 1925, S. 63.〔『ジョージ・バーナード・ショー』安西徹雄訳、『G・K・チェスタトン著作集』評伝篇四、春秋社、一九九一年、六九頁〕)。「中心をどうしても求めてしまう人間の心情について。私はそのようなものをもっていない。なぜなら、私は自分で立っており、自分の足で地面に触れ、大地を感じているからで、そここそが私にとっての中心だからである」(Rudolf Kassner, Der Zauberer, in: *Die Neue Rundschau*, LXIV [1953], S. 507)。「自然のなかで人間が中心の位置を占めるというのは、けっして天文学的に確かめられるたぐいのことではなく、それはコペルニクス以降も変わっていない。その中心的位置は、自然科学が発見する事実に何ら左右さ

れないのである」(Nikolai Berdiajew, *Das Reich des Geistes und das Reich des Caesar*, dt. Ausgabe, Darmstadt 1952, S. 52〔ベルジャーエフ『愛と実存――霊の国 セザルの国』野口啓祐訳、筑摩書房、一九五四年、四七頁〕)。

*44――〔訳註〕『判断力批判』で主題となる「合目的性」は、自然を生きたものとして捉えるために想定されなければならない条件にすぎないのであり、客観的な認識として成立しうるものではない。

*45――Immanuel Kant, *Kritik der Urteilskraft*, Kants Werke, hg. Ernst Cassirer, V, S. 306.〔カント『判断力批判』上、牧野英二訳、『カント全集』八、岩波書店、一九九九年、一〇〇頁〕

*46――*Ibid.*, S. 253.〔同、三三頁〕

*47――〔訳註〕George Santayana, *Three philosophical Poets. Lucretius, Dante, and Goethe*, Cambridge 1910, p. 139.

*48――〔訳註〕J. W. von Goethe, *Einwirkung der neueren Philosophie*, in: Werke, Hamburger Ausgabe, Bd. 13, S. 27.(ゲーテ「近代哲学の影響」木村直司訳、『ゲーテ全集』一四、潮出版社、一九八〇年、八頁)

*49――Id., *Maximen zu Wilhelm Meisters Wanderjahren* [502].〔ゲーテ『箴言と省察』岩崎英二

郎・関楠生訳、『ゲーテ全集』一三、一九八〇年、二七四頁〕

*50——Id., *Farbenlehre* [Ergänzungen zur Farbenlehre: *Entoptische Farben*]. *Vollständige Ausgabe der theoretischen Schriften*, Tübingen 1953, S. 574.〔ゲーテ『内視的色彩』石光泰夫訳、『モルフォロギア』八号、ナカニシヤ出版、一九八六年、八八頁〕

*51——*Ibid.*, S. 576.〔同、九〇頁〕

*52——*Ibid.*, S. 22.

*53——〔訳註〕Id., *Die Natur, Fragment*, in: Werke, Bd. 13, S. 45.（ゲーテ「自然——断章」木村直司訳、『ゲーテ全集』一四、三四頁〕

*54——〔訳註〕『実践理性批判』においてカントは、道徳的自由を経験界とは区別される叡智界に属すものと考え、経験的な自然から脱した「孤独」なものとみなしたのに対して、ゲーテは人間の自由を、自然と結びついたものと捉えようとする。

解題――人文学としてのメタファー学

村井則夫

人文学の再興

二十世紀のヨーロッパ哲学は、十八世紀以来の古典哲学と袂を分かち、「言語論的転回」に代表される大きな変革を経験したが、そのなかでも人文学――修辞学・文献学・解釈学――の復興が重要な役割を果たしている。それまで人文諸学は哲学の本流に組み込まれることなく、古くはソクラテスがソフィストとの対立のなかで、修辞学（弁論術）を「臆見」の領域として貶め、近代においてはデカルトがルネサンス的な古典古代の文献学を確実な学知の領域から追放し、さらに解釈学は、「認識されたものの認識」であるところから、認識にとって二次的な位置にとどまっていた。こうした劣勢に置かれた言語論的な人文学は、二十世紀に大幅にその情勢を変え、哲学の本質を変革する決定的な要因として働き始める。その予兆となった最初の狼煙であり、新たな人文学の急先鋒を担ったのが、前世紀におけるニーチェの文献学であった。「かつて文献学たりしもの、いまや哲学となれり」というその標語(「ホメロスと古典文献学」)に示される「未来の文献学」、そしてルネサンス人文主義とも異なるその歴史的・神話的解釈学は、文献学に代表される人文学の復権ばかりか、二十世紀の現代哲学の動向を先取りすることになった。

二十世紀初頭には、新カント学派が「自然科学と精神科学」という問題設定のもとで、自然科学に解消されない文化学の独自性や自立性の理論化を図り、ディルタイ、ジンメルなどの生の哲学が「世界観学」や「文化哲学」といった領域を切り開いており、さらにイェーガーらの「第三人文主義」の宣言もあって、人文諸学の見直しが各分野でなされていった。なかでも、修辞学・詩学の対象であった「象徴」に対して人間の認識の根本的機能を認めたカッシーラーの「シンボル形式の哲学」、そして解釈学を存在論の方法論として再建したハイデガーの影響は決定的であった。さらに一九六〇年代には、ハイデガーの現象学的解釈学を引き継ぎながら、古代以来の人文学的伝統を総合したガダマーの「哲学的解釈学」、そして文献学の問題をニーチェ的に突き詰めて、テクスト(エクリチュール)の謎へと深めていったデリダの「グラマトロジー」などが、その後のヨーロッパ哲学の構図を定めることになる。

卓越した思想史家・哲学者であるブルーメンベルク（Hans Blumenberg 一九二〇年—一九六年）はこのような知的風土のなか、二十世紀ドイツ哲学の最良の土壌によって育まれ、ヨーロッパ思想界全体が活況を呈した一九六〇年代以降に精力的な著作活動を展開していった。ブルーメンベルクもまた、二十世紀の人文学復権の一翼を担い、とりわけカッシーラーに影響を受けながら、修辞学を哲学的人間学の観点から再考し、「メタファー」を哲学理解の基本的要素と捉える独自の思想史、「メタファー学」を構想した。その思考は概念史や解釈学と親近性をもつところから、ロータッカーを主幹とし、ガダマーの思想が活動を支えた「概念史研究会」、そしてのちにはヤウス、イーザーらを中心とする「詩学と解釈学」グループ（コンスタンツ学派）とも交流をもつが、その関係は常に一定の距離のあるものであり、基本的にはほぼ独立独歩の道を歩んでいった。特定の学派と直接の関わりをもたず、広く人文学的な関心に貫かれて、破格の射程をもつ大著をまとめていったという点では、その学風は十九世紀の歴史家・文化史家ブルクハルト、あるいは同時代のロマンス文学研究者クルティウスやアウエルバッハといったいくらか古風な人文学者を思い起こさせる。実際、ブルーメンベルクの「メタファー学」は、クルティウス『ヨーロッパ文学とラテン中世』の「トポス論」を哲学的に継承・発展したものとも考えられる。

メタファー学の構想

「一九三三年以来、あるいは一九三九年以来起こった信じがたいまでに怪物的なもの、常軌を逸した出来事、およそそんなことが出来しうるなど誰一人信じていなかったこと」——ブルーメンベルクと同郷リューベック出身のTh・マンは『ファウストゥス博士』のなかで、「古典文献学者」ツァイトブロームにこのように語らせている。まさにブルーメンベルクの就学期に当たるこの時代は、文化的・思想的には多産であったものの、社会的・政治的には第二次世界大戦に向かって風雲急を告げる危機的な時期であった。ブルーメンベルクは母親がユダヤ系の「半ユダヤ人」であったところから、学業も中断を余儀なくされ、工場での労働奉仕も経験するなど、幾多の辛酸をなめている。戦後になってようやくハンブルク大学・キール大学で学問的活動を再開し、キール大学で学位論文『中世スコラ存在論の根源性の問題についての論考』（一九四七年）を提出する。ハイデガーの中世哲学理解の批判的検討を目指し、スコラ学の存在論の根源性を論じたこの学位論文についで、教授資格申請論文『存在論的距離――フッサール現象学の危機についての探究』（一九五〇年）では、フッサールの『ヨーロッパ諸学の危機と超越論的現象学』を取り上げて、現象学における歴史性の問題を扱っている。指導教授は、フッサールの後継者であり、その遺稿の編纂にも携わったラントグレーベであった。

このように現象学・解釈学の学統によって基礎的な哲学的素養を培われたのち、ブルーメンベルクは学術雑誌などを中心に独自の思想史的・哲学的論考を発表し始める。本書に収めた二編はその初期の論考であるが、とりわけ「真理のメタファーとしての光」（一九五七年）は、彼自身の「メタファー学」の立ち上げとして、のちのブルーメンベルクの思想を理解するにも欠かせない一篇となっている。翌一九五八年には概念史研究会において講演「メタファー学に関する諸テーゼ」を行い、メタファー学の基本的枠組みを示したうえ、一九六〇年にはそれを元に、理論的にもさらに練られた『メタファー学のパラダイム』（法政大学出版局、二〇二二年）が発表される。したがってこの三篇は、相互に重複・補完し合いながら、メタファー学の骨子を形成した試みとして併せて理解されるべきものとなっている。

「メタファー学」(Metaphorologie メタフォロロギー/隠喩学)という語は、もともと「メタファー」と「ロゴス」という二語から作られた造語であり、その内部に修辞学と哲学との緊張関係を宿している。それというのも、メタファーは文飾の一種として、想像力の技法である修辞学・詩学に属すものだが、他方でロゴスは、理論的な思考による真理把握を目指すものであるため、両者の立場は基本的に相容れないからである。そうした違和感のある異種混交的(ハイブリッド)な用語「メタファー学」は同時に、哲学に対するブルーメンベルクの姿勢を端的に表してもいる。つまりブルーメンベルクにとって哲学的思考は元来、純粋に理論的な学問である以前に、前理論的な生活世界や、神話や宗教を含めた想像力の領域に根差すものである。方法によって一元的に体系化され、ロゴスのみを偏重する学知は、世界や人間の生全体を問う哲学の要求を十分に満たすものではない。そこでブルーメンベルクは、メタファーによる表現を哲学的言語の基盤と考えることで、メタファーとロゴスを新たな次元で総合することを目指すのである。

メタファーとはギリシア語 metaphorein（移行する）に由来し、ラテン語では translatio ともいわれ、言語の転用・転義（Übertragung）を示すものである。アリストテレスの定義によれば、「別の言葉の転移（epiphora）であり、それは類から種へ、種から類へ、種から種へ、ないし類比に従ったものである」（『詩学』1457b6）。つまり一般的に「喩え」という二次的表現と捉えられがちなメタファーは、原理的には言語そのものがもつ転移の運動であり、アナロジーによる発見を意味する。修辞学の古典的教科書となったクインティリアヌスの『弁論家の教育』で述べられるように、「メタファーは、言葉が有していない点を交換ないし借用することによって、言葉の豊かさを増大させる」（VIII, 6, 4）。カルデロンが「人生は夢」という表現を用いたとき、「人生」と「夢」のあいだに類比や共通点が見出され、「夢」のメタファーが、人生の儚さや不条理、つかの間の喜びや苦しみを鮮やかに浮かび上がらせる。メタファーは物事を見るときの新たな観点を与え、それまでとは違った角度から光を当てる照射機の役割を果たす。詩的言語に典型的に表れるように、メタファーは「それまで理解されていなかった事物の関係を明らかにするとともに、その理解を恒常化するのである」（シェリー「詩の擁護」）。

アナロジーの認識であるメタファーは、潜在的で未知の関係を炙り出す発見法的効果をもつ。それは哲学的言説においても同様である。それどころかブルーメンベルクによれば、メタファーこそが哲学的により包括的な視界を開き、想像力によって思考を活性化する。たとえば、宇宙全体を「時計」のメタファーによって捉えるなら、そこでは天体の運行の規則性や、自律的に完結した緻密な機構が示唆されるばかりか、さらにはその宇宙を制作した時計職人としての神といったメタファーが引き寄せられる。メタファーは定義によって一義的に固定されるのではなく、むしろ思考を導く潜在的地平として働き、相互に関連し合う隠喩法（メタフォーリク）のネットワークを紡ぎ出していく。メタファーないし隠喩法は、概念や術語が定着するよりも前の段階で、哲学的思考が発生する基底的な領野（「前景領域」Vorfeld）を形成する。メタファー学とは、このようなメタファーの根本的な働きに着目しながら、哲学の歴史全体のなかで、さまざまなメタファーが互いに絡み合い、創造を繰り返し、その姿を変容させていく過程を辿る歴史的反省を目指すものである。こうして厳密な概念や術語では封じ込められてしまうメタファー的想像力の働きを哲学的認識の根底に見出すことで、ブルーメンベルクは哲学的伝統のなかで長いあいだ軽視されてきた形象的思考の可能性を解き放とうとする。つまりメタファー学とは、哲学的概念・術語に先立つメタファーの豊かな基底層を探ることによって、哲学的思考に対する反省を行うと同時に、哲学的言語の生成を追う試みなのである。

メタファー学の特質

修辞学に代表される人文学の復権は、同時に思想家ヴィーコの発見でもあった。十八世紀の啓蒙主義的思潮にあっては、神話のうちに人間の最古の叡智を見るこのナポリの修辞学者は反時代的な存在であり、デカルト以来の合理主義にとっては古典論理の一貫性を逆なでする異物のようなものであった。しかし十九―二十世紀になると、一面的な理性主義に対する反省もあり、ヴィーコの包括的な修辞学的思考が新たに見直され、フランスにおける歴史家ミシュレ、イタリアにおけるクローチェ、ドイツにおけるアウエルバッハによる翻訳や再評価が始まり、メタファー的思考である「想像的普遍」の着想や歴史意識の先鋭化は、ヴィーコによる「人文学のコペルニクス的発見」(アウエルバッハ)ともいわれる。とりわけガダマーの『真理と方法』(一九六〇年)がヴィーコを哲学的解釈学の文脈のうちに位置づけることで、それまで忘れられていたその修辞学的・歴史的思想は、現代哲学としての意味をもち始める。ブルーメンベルクのメタファー学もまさにその同時代に、ガダマーとはまた違った意味でヴィーコを着想源として、「新鮮で生産的な意味での像や形象（イメージ）の世界、憶測や投影の世界、つまりは〈想像力（ファンタジー）〉の世界」を強調し、論理的なロゴスとは異なるメタファーの活力を最大限に生かそうとするものであった（『メタファー学のパラダイム』「序論」参照）。

　こうしてメタファー学は――ヴィーコの言葉に倣うなら――デカルト的「クリティカ」（批判的理論）という明晰・判明な学知の拘束から離れ、形象的・修辞学的「トピカ」（詩的知恵）に与して、合理的論理学とは異なった「反（アンティ）-論理学」、あるいは「異（パラ）-論理学」を繰り広げることになる。メタファー学という「非概念的なものの反論理学」は、伝統的学知の基本原則である同一律・矛盾律・排中律・根拠律と対比して以下のように整理することができる（ヘフリガー『想像力の多様なシステム――ハンス・ブルーメンベルクのメタファー学、その認識論的・人間学的・知性史的側面』〔一九九六年、未邦訳〕参照）。すなわち、（一）概念の「同一性」に反するメタファーの多義性、（二）「無矛盾性」に逆らうメタファーの逆、説性、㈢真理と偽の中間を排除する「排中律」に対するメタファーの蓋然性、㈣「根拠律」ないし「充足理由律」とは異なる非充足理由律、である。メタファーは、論理学の基本原則である同一律や矛盾律に縛られず、複数の意味のあいだを「転移」し、矛盾や飛躍をも恐れずにその連鎖を拡大し、自己自身とすら撞着し、ときに逆説（パラドクス）を形成することも厭わない。さらにメタファーの活動領域は、デカルトが目指した「確実性」ではなく、「蓋然性」や「偶然性」にある。もともと修辞学は、証明はできないまでも真理として合意可能なもの、つまり「真らしいもの」（蓋然性）を巧みに使って意思疎通を円滑にすることを狙っていた。それを思えば、修辞学を発想源とするメタファー学が、真と偽の二分割に制限されない可能性の領域で活動するのも当然のことである。メタファーにとっては、その真偽が問題なのではなく、それがいかに多様な思考を喚起し、思いがけない観念の結合を産むかという結合術上の成果が重要なのである。メタファーのこのような浮動し揺蕩（たゆた）う流動的性格は、論理的一貫性や合理的説明の要請に従うものではなく、むしろ必然性や根拠に支えられることのない人間の生の実相をその最も現実的な次元で反映している。したがってブルーメンベルクによれば、メタファー、およびその土台となる修辞学の原則は、ライプニッツ的な充足理由律の圏外にあり、むしろ「非充足理由律」と呼ばれるにふさわしい性格をもっている（「修辞学の現代的意義――人間学的アプローチから」、『われわれが生きている現実』法政大学出版局、二〇一四年）。ブルーメンベルクによれば、人間が自己自身の根拠を把握することができず、つねに自己への不安に苛まれるところから、現実を仮象で覆う技法を開拓したところに、修辞学の起源がある。こうしてブルーメンベルクの考える修辞学、およびメタファー学は、通常の意味論や文飾の技術といった枠組みを大きく踏み越え、人間の自己理解の限界を明らかにしつつ、具体的メタファーによって人間学的次元を開示し、さらに人間存在の有限性、人間と世界の関係といった哲学的に根本的な問いへと深まっていくのである。

「真理のメタファーとしての光」（一九五七年）

このようなメタファー学の構想を最初に実践し、事例の分析を具体的に行ったのが、本書所収の論考「真理のメタファーとしての光」である。「哲学的概念形成の前景領域」を副題にしているように、ここでは哲学的概念に先立つメタファーの領域の先行性が示され、その変遷過程が歴史的に考察される。前ソクラテス期より真理のメタファーとして用いられ続けている「光」の形象がどのように継承され、時代や学派によって変容していくかを追跡した刺激的な論考である。古代におけるプラトンの光、および「洞窟の比喩」から始まり、ヘレニズム期での理解、新プラトン主義による改変、さらにはグノーシス主義との対抗関係を経て、アウグスティヌスによるキリスト教的「照明」のメタファー、スコラ学におけるその受容と変容、そしてやがては近代において「光」が人間の主体性を帯びるまで、一気呵成に描かれた本論の叙述は——その密度ゆえの難解さは否めないにしても——圧倒的な知的興奮を与えてくれるだろう。メタファーとロゴス、形象と概念、詩的想像力と論理的思考の相互触発であるメタファー学の構想に沿うことで、光のメタファーをめぐるその論述は、単線的で図式的な思想史に収まらない、複雑で多岐にわたる観念の連繫を浮き彫りにしていく。メタファー学は、単なる通史的な思想史でもなければ、メタファーを代理表象的な記号として捉えるいわゆる表象分析でもない。想像力と思考の往還を加速させながら、イコンとイデアの衝撃的な出会いが生起する中間領域を開いていくところに、メタファー学の本領がある。そのため光のメタファーは、「光」にまつわるさまざまな関連表現を引き寄せ、対立項としての「闇」、光を排除した「洞窟」、光の特権的器官である「目」といったさまざまな別の派生的メタファーを喚起し、そこからまたそれぞれの隠喩法（メタフォーリク）が展開していく。本論ではそうした事例を二つの「補論」で補完しながら、入り組んだ重層的な議論が繰り広げられている。

「光」を「真理」のメタファーとして用いる場合、そのメタファーの用例そのものも多様である。自然的な光の現象から出発するなら、「光」とはわれわれがものを見るときに視界を照らし出し、事物を照射する役割を果たしている。その限り、光は可視性の条件ではあるが、光そのものは不可視である。われわれは光を通して事物を見るのであり、光そのものを見るのではない。その意味での光は、アリストテレス的には「透過的なもの（ディアファネース）」であり、現象学的にいえば、現出の媒体という機能を担っている。このように、認識論を展開するために視覚のモデルを使うなら、「光」は認識を可能にする「真理」に相当することになる。

このような認識論的なメタファーを使うときにはすでに、「認識と真理」の関係が「視覚と光」の関係に見立てられ、そのアナロジーにもとづいて「真理＝光」という転義が起こっている。そしてこの場合のアナロジーは、現象とその条件、結果とその前提という関係を暗黙のうちに想定している。これに対して、「光」を「闇」と対比させるメタファーを用いるなら、その場合のメタファーは、充実と欠如、存在と無といった実体論的な対比関係を踏まえており、その点で「光の形而上学」といった性格をもつことになる。また、光のうちに存在全体をはぐくむ力を見るなら、真理としての光は、認識の場面を越えて、存在とその根拠といった対比のなかで理解される。とりわけ光の源としての太陽は、プラトンの「太陽の比喩」のように、世界の存在根拠のメタファーとなる。そしてその関係を世界そのものの始原にまで拡張するなら、光は神による創造という神学的メタファーに転じる。つまり、A対B＝C対Dという等式が成り立つための比例関係はさまざまな比率（比例定数）を取りうるのであり、その関係の設定によって、思想全体の構図が変わってくる。したがってメタファー学において重要なのは、何が何のメタファーであるかという記号的で一義的な代理関係ではなく、むしろメタファーの形成において背景となっている関係性の多様な意味なのである。つまり光のメタファーによる転義が起こる場面では、媒体、前提、条件、実体、根拠など、哲学的概念へと移行可能な思考が潜在的に働いており、それらがまさしく哲学的概念の「前景領域」を形作っているのである。

哲学的真理の理解は、前ソクラテス期およびプラトンにおいて、それ自体で輝く光の自己現出を真理のメタファーとするところから始まっている。このような光のメタファーはやがて、事物を照らすがそれ自身は不可視のものという側面が強調され、世界から退去していく「超越」のメタファーとなる。こうしたメタファーの変容に即して、古代から中世の思想が、光の超越化・形而上学化のプロセスを軸として理解されるようになる。古代末期には、光としての真理が超越的次元に移行することで、絶対性と人間の有限性のあいだに大きな隔たりが生じ、現実世界を無効化する懐疑論や、世界からの離脱を目指すグノーシス主義が広まっていく。そしてキリスト教思想が、こうした光の隠喩法をいっそう複雑で多彩なものとしていった。たとえばアウグスティヌスにおいては、真理としての光が、超越を前提としながら、それを反映する「照明」として魂のうちに内面化されていく。さらにキリスト教思想では、光の不可視性が積極的に捉えられ、「光の形而上学」が強化されるなかで、「神の闇」を絶対化する神秘思想・否定神学が生み出されていく。可視性の根拠自身は、根拠であるがゆえにそれ自体は不可視であり、顕現の次元から退去するという事態、つまり可視性そのものの不可視性という、哲学的には実に難解な思想を、光のメタファーが具象化し、直観的に把握可能なものとする。光そのものは何らかの視覚的対象にはなりえないという自然本性的な認識モデルが、ここで存在の根拠の次元へと転化され、形而上学的・神秘思想的思弁へと一挙に深まっていく。論理的な手順によって説明困難なこうした転用こそ、まさにメタファーがなしうる離れ業なのである。

光の隠喩法は、中世末期から近代初頭にかけて、主観性の理解の確立にとっても大きな役割を果たす。「照明説」に見られた内的な光のメタファーが、外的対象の認識にとどまらず、主体の能力全般の次元にまで拡張され、魂そのものの根源的統一性に関する超越的＝内在的理解を生み出すにいたるためである。ブルーメンベルクによれば、「あまりに多くの超越的な光が主観のうちに〈移行〉したため、主観は〈それ自身が光り輝く〉ものとなったのである」（本書六〇頁）。こうして近代初頭（アーリー・モダン）においては、人間の知性は自覚的な「自然の光（ナトゥラーリス・ルクス）」と名指され、主観の立場は「遠近法（パースペクティヴ）」という光の隠喩法のもとで語られる。そして十八世紀には何よりも時代の思想的プログラムそのものが、「啓蒙」（開明／光の世紀）という光のメタファーによって宣言される。いまや主観は自ら光を発する光源となり、望むがままの角度から光を制御しつつ事物を照らし、自然世界をあらゆる側面から観察する知の主体となるのである。

「コペルニクス的転回と宇宙における人間の位置づけ」（一九五五年）

「真理のメタファーとしての光」でブルーメンベルクは、「光」の隠喩法がさまざまに姿を変え、関連する語法を巻き込みながら複雑に絡み合い、多様な思考を産出していく歴史的光景を、短いながらも圧縮して見事に描き出した。ここに示されたメタファー学の構想はさらに綱領的論考『メタファー学のパラダイム』（一九六〇年）において展開され、真理を表すメタファーも、「光」の隠喩法にとどまらず、さらに真理の「力」、真理の「裸形性」などへと枝葉を拡げていく（全一〇章のうち、前半の四章が「光」のメタファーから派生した「真理」の隠喩法に当てられている）。そして、『メタファー学のパラダイム』の後半のもう一つの大きな主題が「コペルニクス的転回」の議論であったことを思えば（第九章「宇宙論のメタファー化」）、本論「コペルニクス的転回と宇宙における人間の位置づけ」もまた、初期のブルーメンベルク、およびそのメタファー学にとって重要な論考といえるだろう。

「真理のメタファーとしての光」の二年前に公表されたこの論考では、メタファー学の明示的な表明こそなされていないものの、その議論を見るなら、本論が宇宙論における「中心」のメタファーを主題として、その多様な変奏とともに思想史的考察を展開している点で、まぎれもなくメタファー学の圏内にあることが窺えるだろう。それと同時に、ブルーメンベルクの著作活動のなかでこの論考は、『メタファー学のパラダイム』のみならず、その後の『コペルニクス的転回』(一九六五年)、そして近代的世界観の成立意義という点では『近代の正統性』(一九六六年〔全三巻、法政大学出版局、一九九八―二〇〇二年〕)、とりわけその第四部「時代転換の局面」に繋がり、やがては大著『コペルニクス的宇宙の生成』(一九七五年〔全三巻、法政大学出版局、二〇〇二―一一年〕)に集大成される一連の思考の出発点として、記念碑的な位置を占めている。

「科学革命」とも呼ばれる自然科学上の大変革を扱う本論は、天文学を中心とする科学的思考の転換にとどまらず、歴史と現実を生きる人間の自己理解と世界理解、まさに「宇宙における人間の位置づけ」を思想史的に考察しようとするものである。そのため本論では、自然科学が確立されるはるか以前、古代のアリストテレス＝プトレマイオスの宇宙観に遡り、中世におけるその継承と解体を経て、コペルニクスによる自然学上の転覆にいたる経緯が、近代思想における主観性の成立と限界といった問題に収斂するかたちで考察される。科学・哲学・神学などの知見が惜しげもなく披露され、それら相互の関連のなかで、世界観・人間観全体の変遷を描くその叙述も圧巻である。多くの諸分野を自在に横断し、膨大な学殖を傾けながら思想史の森を探査していくブルーメンベルクのスタイルが、初期のこの論考においてすでに十分に確立されているように見える。本論はTh・クーン『科学革命の構造』(一九六二年)の公刊に先立って発表されたものだが、「自然科学と精神史との関連に即して」という副題が示すように、思想史全体のなかに科学革命を位置づけていくという点では、クーンよりも包括的な「精神史」というプログラムを提起していたことになる(『コペルニクス的宇宙の生成』では、簡単ではあるが、クーンに対する批判的な言及が見られる)。

太陽を中心とする地動説のモデルは、たとえば古代のアリスタルコスによっても主張されたが、それが定説として定着することはなかった。コペルニクスにおいてなぜそれが革命的な意味をもち、近代の幕開けと捉えられ、近代の特徴を刻印するような影響史を形成していったのか――それを理解するには思想史上の膨大な前史と、現代にまでいたる影響作用史を考慮しなければならない。歴史は過去から因果的に決定されるのではなく、歴史を理解する現代の問題意識によって選別され確定される。歴史的に重要な事件とは、その出来事にまでいたる過去からの前史と、その出来事を意味づける後世からの眼差しの両者が交錯することで、初めて時代を画するものとみなされるのである。そのためブルーメンベルクは本論で――『コペルニクス的宇宙の生成』の言い方を先取りすれば――「コペルニクスの影響作用史の条件としての前史」(同書第二部第一章標題)を探り、「前史」と「影響作用史」を不可分のものと捉えながら、両者の相互浸透を見極めることを狙っている。こうした歴史理解は、当時の哲学的解釈学と親近性をもつと同時に、歴史の連続性と非連続性、そして「代替」(Umbesetzung)の思想など、のちのブルーメンベルク自身の歴史哲学的思考に通じるものをもっている。

コペルニクスにいたる前史とその影響作用史を論じる本論では、古代から現代までの宇宙観と人間観の基本的なモティーフとして、宇宙における「中心」のメタファーの変容、中心化と脱中心化の緊張、人間の位置づけの推移、人間中心主義における目的論の意味といった主題が取り上げられていく。その叙述において軸となる「中心」のメタファーは、空間把握における場所的な位置を指すだけでなく、価値のうえでの重要度の頂点や、自然全体が目指す目的といった複数の意味で理解され、それらが交差し、拮抗し合うかたちで展開される。アリストテレス＝プトレマイオスの地球中心主義（天動説）では、地球は空間的には中心の位置を占めるが、この場合の「中心」はけっして存在のうえでの卓越性を表すものではなく、むしろ高貴な天界に比べて最も劣る最下層の地位を意味する。その一方で、その同じ古代の世界観において、有機的自然全体は人間を「中心」として、人間にとって有用なものとして与えられているといった目的論的な人間中心主義がとられる。「中心」をめぐるこのような多義性は、キリスト教の創造理解によってさらに複雑なものとなり、ストア派、グノーシス主義などの思想的要素が絡み合うことで、人間理解の様相はますます多様化していく。このような前史から見るなら、コペルニクスの太陽中心主義（地動説）は、地球から中心という最高の地位を剝奪したというより、結果として地球を他の高貴な天体に並ぶ地位へと昇格させたのであり、それればかりか、その構造を理解する人間理性の優位を新たに宣言するものでもあった。まさしく、「コペルニクスは理性的・目的論的な人間中心主義を優先するがゆえに、宇宙論的な人間中心主義を放棄する」（本書一一三頁）というわけである。空間的には中心をもたない無限の世界という理解は、すでに中世末期の唯名論によって準備されていたが、コペルニクス的転回はその中立的宇宙の思想を徹底させ、それとともに人間の理性を新たな「中心」に据える。こうしてコペルニクス的転回は、近代的意識の形成に寄与し、最終的に古代・中世の自然本性的な目的論を解体することになった。

脱中心的な中心という逆説のなかに、近代的理性が、自然の拘束を離れた無世界的な超越論的主観として純粋化されていく。こうした近代的主観の成立とともに、存在と現象、主観と客観の乖離という近代に固有の事態が引き起こされる。ブルーメンベルクによれば、この動向の果てに二十世紀の現象学の問題が現れる。フッサールの現象学が、「中立性変容」や「現象学的還元」といった操作によって世界を「括弧入れ」することで、無視点的な純粋意識を抽出し、客観性の理念を実現していくのは、まさにこの近代的動向の極致というわけである。その一方で現象学においては、ハイデガーが「世界-内-存在」や「歴史的・事実的存在」を重視し、遠近法的地平という仕方で具体的に生きられた世界を再発見していくように、主観性のうちでの経験的次元と超越論的次元の交差が目撃されていく。フーコーが『言葉と物』（一九六六年）で指摘した「超越論的 - 経験的二重体としての人間」といった問題をここに重ね合わせることも可能である。「真理のメタファーとしての光」の終盤で記述された遠近法的主体の成立と併せて捉えるなら、そこには近代的人間理解のいっそう複雑な様相が浮かび上がってくるだろう。こうして現代哲学の根本問題のなかにも、脱中心的中心性というコペルニクス的な逆説が深く刻印されているさまを見て取ることができる。ブルーメンベルクが「コペルニクス的転回と宇宙における人間の位置づけ」の最後で、カントとゲーテという二つの異なる典型において、目的論の問題を再び取り上げるのも、人間と世界との関わりのあり方をまた別の側面から照らし出している。

こうしてブルーメンベルクは、「コペルニクス的転回」の哲学的意味を、現代にまでいたるその影響史とともに闡明（せんめい）することを試みた。哲学において「コペルニクス的転回」を決定的なメタファーとしたのは、周知のようにカントの『純粋理性批判』であるが（『コペルニクス的宇宙の生成』第五部第五章「カントの転回におけるコペルニクス的なものとは何か」参照）、そのメタファーは二十世紀以降になってもなおその喚起力を失っていない。「言語論的転回」を始め、「イコン的（像的）転回」、「文化論的転回」、そして昨今の「実在論的転回」（メイヤスーのいう「プトレマイオス的転回」）などに、そのメタファーの明らかな現勢化を見ることができる。そうした影響作用史に対して十分に自覚的な歴史意識をもち、二十世紀哲学のさまざまな動向を踏まえながら展開されるブルーメンベルク自身の思想が、現代哲学においてどのような意義をもつのか、それ自体が新たな「転回」を引き起こしうるのか、これは十分に興味深い問題ではないだろうか。

訳者後記

本書にはブルーメンベルクの初期論考二編を収めた。書誌情報は以下のとおりである。

Licht als Metapher der Wahrheit. Im Vorfeld der philosophischen Begriffsbildung, in: *Studium Generale* 10 (1957), S. 432-447. 現在では以下の単行書に収録されている。H. Blumenberg, *Ästhetische und metaphorologische Schriften*, Auswahl und Nachwort von Anselm Haverkamp, Suhrkamp: Frankfurt a. M. 2001.

Der kopernikanische Umsturz und die Weltstellung des Menschen. Eine Studie zum Zusammenhang von Naturwissenschaft und Geistesgeschichte, in: *Studium Generale* 8 (1955), S. 266-283. 現在では以下の単行書に収録されている。H. Blumenberg, *Schriften zur Technik*. Herausgegeben von Alexander Schmitz und Bernd Stiegler, Suhrkamp: Frankfurt a. M. 2015.

前者「真理のメタファーとしての光」は、かつて『光の形而上学――真理のメタファーとしての光』として邦訳が公刊されていた（生松敬三・熊田陽一郎訳、朝日出版社、一九七七年）。ブルーメンベルクの本邦初の紹介であったが、長年入手困難となっている。名品として知られる本作が埋もれることのないように、今回は新訳を公刊することとした。中世哲学研究者ボイムカーにちなんだとされる旧訳の邦訳タイトルは魅力的であったが、今回の新訳では、ブルーメンベルクの原題を優先してあらためたことをお断りしておく。翻訳に当たっては、旧訳者の正確な読解に多くを学ぶことができた。また本論には以下の英訳があり、これも適宜参照した。Light as a Metaphor for Truth: At the Preliminary Stage of Philosophical Concept Formation, in: *Modernity and the Hegemony of Vision*, edited by David Michael Levin, University of California Press: Berkeley/Los Angeles/London 1993.

「コペルニクス的転回と宇宙における人間の位置づけ」は今回が本邦初訳である。両篇の翻訳に際しては、豊富な専門知識を背景とするブルーメンベルクの文章を多少なりとも理解しやすくするために、訳註をできるかぎり挿入している。テクストが踏まえている引用文やデータも、邦訳の該当箇所の指示などとともに、訳註として補充した。

本書については企画立案の段階から、編集者・中村鐵太郎氏に多大なご尽力をいただき、校正に際しても、出典照合や訳注の点検などを含め、氏の詳細にして有益な校閲に助けられた。この場を借りて謝意を表したい。

近年、ドイツでのブルーメンベルク研究は急速に進んでおり、続々と浩瀚な研究書が刊行されている。日本では、本格的な議論が今後待たれる状態ではあるが、すでに主要著作の多くは邦訳が公刊されている。それらの邦訳とともに今回の翻訳が、ブルーメンベルクの日本での受容の一助となることを願っている。

二〇二三年六月

村井則夫

[著者]
ハンス・ブルーメンベルク（Hans Blumenberg 1920-96）
北ドイツ、リューベック生。ギュムナジウム修了後、最初神学を志すが、母方がユダヤ系であったことから中断を余儀なくされる。戦後ハンブルクで哲学、古典文献学などを学んだのちキール大学で教授資格を取得（1950年）、ハンブルク、ギーセン、ボッフム、ミュンスターの各大学で哲学を講ずる（1985年退官）。20世紀の人文学復興の流れの中、神話的思考から科学的思考におよぶカッシーラーの広汎な哲学的人間学の影響を受け、また60年代にはヤウス、イーザーらの「詩学と解釈学」とも交流をもちながら、神学・哲学・歴史・文学、さらに技術史・科学史など多様な領域にわたる独自の人文学を浩瀚な著作群に残す。歿後も遺稿の編集・公刊が続いている。主著に『近代の正統性』『コペルニクス的宇宙の生成』『神話の変奏』『メタファー学のパラダイム』（以上、法政大学出版局）など。

[編訳者]
村井則夫（むらい・のりお）
1962年生。上智大学大学院哲学研究科博士後期課程満期修了。博士（哲学）。明星大学人文学部教授（2013-17年）、中央大学文学部教授（2017-22年）。著書に『人文学の可能性――言語・歴史・形象』『解体と遡行――ハイデガーと形而上学の歴史』『ニーチェ――仮象の文献学』（以上、知泉書館）、『ニーチェ――ツァラトゥストラの謎』（中央公論新社）。訳書にブルーメンベルク『メタファー学のパラダイム』『われわれが生きている現実』『近代の正統性 III』（以上、法政大学出版局）、ベーム『図像の哲学』（共訳、同）、ニーチェ『偶像の黄昏』『喜ばしき知恵』（以上、河出書房新社）、トラバント『人文主義の言語思想』（共訳、岩波書店）、同『フンボルトの言語思想』、リーゼンフーバー『中世思想史』（以上、平凡社）ほか。

平凡社ライブラリー 954

真理のメタファーとしての光／
コペルニクス的転回と宇宙における人間の位置づけ

発行日…………2023年10月5日　初版第1刷

著者……………ハンス・ブルーメンベルク
編訳者…………村井則夫
発行者…………下中順平
発行所…………株式会社平凡社
〒101-0051　東京都千代田区神田神保町3-29
電話　(03)3230-6573［営業］
ホームページ　https://www.heibonsha.co.jp/

印刷・製本……中央精版印刷株式会社
ＤＴＰ…………平凡社制作
装幀……………中垣信夫

ISBN978-4-582-76954-8

【お問い合わせ】
本書の内容に関するお問い合わせは
弊社お問い合わせフォームをご利用ください。
https://www.heibonsha.co.jp/contact/

平凡社ライブラリー　既刊より

クラウス・リーゼンフーバー著／村井則夫訳

中世思想史

西方ラテンに加え、アラブ、ユダヤをも包摂して、豊かな知的伝統を総合的に叙述する、第一人者による最新の通史。文献表、図版（70点）、索引を兼備する増補決定版。

K・リーゼンフーバー著／矢玉俊彦・佐藤直子執筆協力

西洋古代・中世哲学史

古代ギリシアから中世末期まで、主要人物とその業績を広範に跡づける、第一人者による最良・唯一の通史。原典からの豊富な引用を含み、詳細文献表、索引を完備。

N・クザーヌス著／山田桂三訳

学識ある無知について

十五世紀ドイツの神学者・哲学者、先駆的ルネサンス人の主著。逆説と敬虔の中で神、宇宙、キリストおよび教会が弁証される。プラトン主義的世界論の傑作。

【HLオリジナル版】　解説＝八巻和彦

J・バルトルシャイティス著／西野嘉章訳

新版　幻想の中世

ゴシック美術における古代と異国趣味

ゴシック美術に跳梁する異形異類、繁茂する動植物文、マンダラ——古代と東方の珍奇なイメージの絶えざる越境と異種交配を空前のスケールで描いた綺想の図像学、待望の復刊。

解説＝荒俣宏

エルヴィン・パノフスキー著／伊藤博明・富松保文訳

イデア

美と芸術の理論のために

芸術を否定したプラトンのイデア概念が、古代・中世・ルネサンスを経て、デューラーに至るなかで、ヨーロッパ芸術思想の中核を占めるに至る、真理と美をめぐる思想のドラマ。